改變歷史的書

Robert B. Downs著・彭歌譯

聯經新版前記

書籍裡蘊藏著人類思想與感情的精華，因而可以發生影響世界、改變歷史的宏偉力量。唐斯博士憑著他淵博的學識和睿智的判斷，從千千萬萬種名著中，選出了十六本書，他認爲這十六本著作都是從文藝復興時期以來「改變歷史」的書。

《改變歷史的書》不是一本輕鬆的、可供消遣的書，甚至也不能算「有趣」——如果你對於追求知識的興趣不太濃厚的話。但是它很重要，尤其在我們東方人看來，此書大有助於從宏觀的角度，瞭解近四五百年間西方文明的發展與變化。這是一本專門討論「書」的書，其實，也等於是簡約而客觀地討論了近代西方文明發展史。

唐斯博士選出的十六本書，分爲自然科學及社會與人文兩組；按其出版年代前後列舉如下：

社會與人文部分十冊：

①馬基維利的《君王論》，一五三二年。

②潘恩的《常識》，一七六六年。
③亞當斯密的《國富論》，一七七六年。
④馬爾薩斯的《人口論》，一七八九年。
⑤梭羅的《不服從論》，一八四九年。
⑥史佗夫人的《黑奴籲天錄》，一八五二年。
⑦馬克思的《資本論》，一八六七年。
⑧馬漢的《海權論》，一八九〇年。
⑨麥金德的《地緣政治學》，一九〇四年。
⑩希特勒的《我的奮鬥》，一九二五—一九二七年。
自然科學部分六冊：
⑪哥白尼的《天體運行論》，一五四三年。
⑫哈維的《血液循環論》，一六二八年。
⑬牛頓的《數學原理》，一七二九年。
⑭達爾文的《物種原始論》，一八五九年。
⑮佛洛伊德的《夢之解析》，一九〇〇年。
⑯愛因斯坦的《相對論》，一九一六年。

究竟唐斯博士是根據甚麼標準選出這十六本書來，他自己在原書的序文中有詳細的說明，這篇序文我也把它譯出供讀者參考。

這本書的原名 *Books that Changed the World*，由紐約「新美國圖書館」公司出版，初版一九五六年，已增印多次。全書共兩百頁，除序文之外，十六本書各成一個單元，每篇約一萬餘言。各篇中包括作者生平、著書經過、那本書的內容概要、出版後的反響與批評，以及對後世的具體影響。由這十多萬字的介紹，使讀者可以對這十六本書得到「嘗一臠而知全鼎味」的印象，實在是一大功德。

唐斯博士（Dr. Robert B. Downs）是一位著名的圖書館學家，一九〇三年五月廿五日出生於北卡羅來納州的林諾爾城。先後在北卡州大學、哥倫比亞大學攻讀，並獲哥爾比學院及北卡州大學博士學位。初任紐約大學圖書館長，自一九四三年開始，擔任伊利諾大學圖書館長，歷十五年；一九五八年以後又兼任圖書館學研究所所長。他在美國學界，以博學聞名，並是維護學術自由，反對圖書檢查的領袖人物。曾先後當選為美國全國圖書館學會會長、大學圖書館及特種參考圖書館聯合會會長、美國國會圖書館聯合目錄組顧問、米德蘭作家協會會長，扶輪會會長。他曾多次應邀出國擔任顧問，墨西哥政府、土耳其政府都曾禮聘他前往策劃協助，整理國家文物。在二次大戰後，唐斯博士應麥克阿瑟元帥的敦請，以麥帥總部高級顧問的名義，推動日本國會圖書館全面重建的工作，該館已成為目前亞洲最好的圖書館之一。

唐斯博士著述甚豐，大都爲有關圖書館學的專門論著，《改變歷史的書》則是爲一般讀者所寫。許多大學開有「現代文明」（Contemporary Civilization）的課程，往往就以這本書作爲主要的教材。

唐斯博士在伊利諾大學任教二十八年，在他主持之下，伊大圖書館研究所成爲全美最好的研究所之一，圖書館藏書之富與精，與哈佛、耶魯、密西根等三校同享盛譽。暮年退休後，就住在伊大校園所在的莪班娜城，一九九一年二月廿四日溘然長逝，享年八十八歲。

我於一九六二年就讀伊利諾大學，曾受教唐斯博士門下；當時讀過這本書，印象甚深。回國後在新聞界和教育界服務的時間居多，自一九六七年八月開始，著手翻譯本書，此後每月一兩篇，至一九六八年四月十三日那天脫稿。我覺得這本書的確極有價值，而且對讀者有開拓求知的領域，提高讀書的興趣之益。

我後來多次到歐洲訪問，一九七一年在倫敦，適逢唐斯博士也在那兒，爲大英博物館圖書部門遷建擔任顧問，我曾向他報告譯書的經過，內容基本上以原著爲準據，不過有些對東方讀者需加說明或補充之處，我就另外去查書、找資料。唐斯博士覺得這樣作有其必要。他約我去餐敘，我因旅中行程匆匆而婉謝，沒想到那就是最後的一面了。

本書各篇譯文分別在《自由談》、《幼獅月刊》和《純文學》等雜誌發表。中譯的單行本則由純文學社出版，老友林海音女士主持策劃，最爲盡心。中譯本自一九六八年初版以來，增印約六十次，爲歷年來暢銷書之一；曾有大專院校歷史系所指定爲參考書。近年海音專事寫作，純文學社已經收場，我亦退休到海外定居，仍不時有讀者查詢這本書的下落。因商得聯經出版事業公司發行人劉國瑞先生同意，將原書校訂重印新版。

純文學社當年成立時，原由國瑞兄以其創辦的學生書局爲後援。國瑞兄歷任聯合報總編輯、經濟日報社長等職務之後，轉任聯經出版事業公司發行人。現在，《改變歷史的書》中譯版得由聯經出版事業公司重新出版，對他而言，也算是一種因緣。我很慶幸這樣的安排。

世局變幻，過眼滄桑。有很多事超乎我們的想像。最顯著的一例是，唐斯博士在書中闢斥馬克思《資本論》的種種謬誤；在他寫書時，以及我譯書時，共產帝國都仍是一個似乎不可搖撼的龐然巨物。沒想到一九九一年局勢急轉直下，由戈巴契夫到葉爾欽，蘇聯已不復存在，東歐共產陣營隨之土崩瓦解，這是二十世紀末世界史上最重大的變化。此書早有斷證，足當先知之譽。

當此書聯經版問世時，謹贅數語，略述始末，並向老友海音、國瑞，以及幫助此書再度問世的朋友們，致衷心的謝意。我誠懇希望這本書能使讀者得到「開卷有益」之樂。

彭歌　一九九七年八月

唐斯博士與《改變歷史的書》

世人往往存有相當普遍的誤解，認爲書籍乃是沒有生氣、沒有力量、和平寧靜的東西，祇合保藏在經院學府或其他遠離塵世的地方。在持有這一類誤解的人心目中，書籍中充滿了不切實際的學理玄談，對於在現實生活中打滾，需要「實事求是」的人，一無用處。

與這種誤解恰成對比的是，某些叢林中的蠻族對於書籍反而有更大的敬意。他們一看到印刷品便要躬身下拜；因爲他們認爲印刷品具有傳達訊息的魔力。在人類的歷史上，我們可以找到無數的證據：書籍絕不是無聲無息的東西，而常常是具有「動力」的，足以轉變歷史進行的方向——有時候是往好處變，有時候是朝壞處變。

歷代的大獨裁者幾乎都曾在書籍中發現過有潛存的「桀驁不馴」的力量存在。當暴君與極權政體得道之時，他們祇要是想到了要壓制反對派，扼殺新思想，第一個念頭幾乎毫無例外都是要將含有反對觀點的書籍加以毀滅，有時甚至於株連禍結，使得那些書籍的作者亦不能免禍。相反的，他們有時也會利用書籍作爲增強控制的工具，像希特勒的《我的奮鬥》、像馬克思的《資本論》，以至卷帙浩繁的列寧和史達林的著作，都屬於這一類。這些暴君們對於書籍中藏有龐大無匹的爆炸力量一事，似乎比一般人的認識更有「深度」。

同樣的觀點偶爾在民主國家也會出現。譬如說，一九五〇年代，美國人因爲聽到了美國國務院曾經通令駐在海外的圖書館實行圖書檢查，而且在少數某幾個特殊地點，的確實行過「焚書」的辦法，使得他們大爲震驚。民間的反應如此強烈，最後使得當時的艾森豪總統不得不親自查究其事，以保持美國政府的淸白令譽。他爲此發表了「不要參加焚書者」的有名演說。在世界各地，人們都有一個共同的看法，自古至今，書籍都是文明與文化的基石。

這本書的目的

《改變歷史的書》這本書的目的，乃在經由若干具體的例證，來說明書籍所能發生的巨大影響。不過，首先必須強調的是，本書並無意提供一份「最佳著作」或「最偉大書籍」的書單。擬訂那樣的書單，是往昔的文學批評家、作家、編輯人、教育家以及圖書館學家所喜歡的事。他們尤其喜歡提供純文學作品中的佳作書目。這本書的目的則是探討一些對於歷史、經濟、文化、文明以及科學思想具有最重大影響的著作；其期限則大致始於文藝復興，降至二十世紀的中葉。

這樣一本書的寫作計畫，最重要的一個步驟，自然是書籍的選擇。有若干書名自然而然浮現在人們的心頭。但除了這極少數的幾本書之外，以後的選擇便可能見仁見智，各有不同了。由於選擇的第一個標準是：被選出來的書，必須曾經對於人類的思想和行動，發生過重大而持續的影響；而且這種影響不止是限於某一個國家，而是及於全世界重要的大部份地區的。大多數的名著都不合這個標準。經過這一次「酸性測驗」之後，一本又一本曾獲提名的名著不得不排除在候選書目之外。

選定書籍的標準

爲了切實易行的理由，本書所討論的對象限於「自然科學與社會科學」書籍；省略了書籍中佔有重要地位的宗教、哲學和文學。當然，宗教性的書籍與文學上的傑作，其影響也許比其他一切種類書籍的總合影響力更大。然而，這兩類書籍的影響都是十分難於決定的。譬如像聖經、像莎士比亞、像米爾頓，雖然對於人類社會的影響頗爲深遠，在語言、文學、哲學、思想模式、倫理，以及人生的任何一方面，幾乎都受到它們的影響，可惜我們卻無從衡量。

如果我們將古往今來有關宗敎與哲學的名著都列爲選擇對象的話，其中便應該包括：聖經（基督教徒所用的英王詹姆士版本和天主教徒所用的陶艾版本），中國儒家著作如《論語》、猶太教法典《塔爾木經》、回教的《可蘭經》、佛經、古代希臘哲學家的著作，聖奧古斯丁、馬丁路德、康德以及許許多多的名家名著。

在文學傑作方面，選擇可能更爲困難，小說、戲劇、詩、散文，其中震鑠千古，光照後世的作品，何止千百，眞令人有不可勝數之嘆。這些作品的影響不爲不大，但是卻很難於做具體的測度。

「遊記」是另外一種文體，其影響比較容易衡量。馬哥波羅的遊記拓展了人類的視野，使得世界爲之擴大。他在十三世紀所完成的遊記，引領歐洲人士發現了前所未知的遠東。他個人的冒險與發現，後來都成了最足令人沉迷的讀品。又如一四九三年哥倫布記載他第一次前往美洲的〈通訊〉，立即被歐洲各國翻譯傳述，並且引起了各國探險家極大的興奮鼓舞之情。其後不久又有亞美利哥（Amerigo Vespucci）出版了一本《宇宙誌概要》，由於作者的關係，後人就將如今的美洲大陸定名爲「亞美利加」。

當然，在我們談到遊記文章時，還有一本以遊記面目出現的小說：魏奈（Jules Verne）的《環遊世界八十天》，一八七二年出版。這本書在知識界所引起的震動，不是任何一本「非小說體」的書籍能相比擬。二次大戰期間，威爾基（Wendell Willkie），是共和黨的總統候選人，曾與羅斯福競選。失敗後，由羅斯福任命爲總統特使，環遊世界，訪問美國的友邦，寫了一本《天下一家》，一九四三年出版。此書相當改變了美國人的世界觀。而且，聯合國組織的觀念，多少是由此書所促成。

三位學者的書目

過去，學人專家曾經多次嘗試，選出具有最重大影響的書籍來。一九三五年《出版人週刊》曾編輯過一份這樣的書目，負責主編者是社會學者魏克斯（Edward Weeks）、哲學家杜威（John Dewey）、政治學家貝爾德（Charles A. Beard）。他們三個人，各按自己的看法，提出自一八八五年以後所出版最重要的書籍二十五種。結果，有二十九本書僅得一票，有四本得到三票也就是「一致」的意見。他們所選定的最後結果一共有五十本書。但在三十多年後的今日，這一書目顯然又不盡切合需要。如果請他們三位自己來重加審核的話，一定也要大加修改的。

一九三九年，又有另外一次類似的嘗試。柯萊（Malcolm Cowley）與史密斯（Bernard Smith）合著了一本書，書名叫《改變我們心靈的書》。書中引用的資料，是來自美國當時的教育家、歷史學者、文學批評家、講演家、宣傳家等，讓他們選擇十二本對於當代美國精神影響最爲重大的書籍。結果，經提名的書籍共達一百三十四本之多。決選的結果，得票最多的十二本書是：

佛洛伊德：《夢之解析》。
亞當斯：《亨利·亞當斯的教育》。
杜納：《美國歷史上的邊疆》。
宋摩納：《社會傳統》。
魏布蘭：《企業論》。
杜威：《邏輯理論之研究》。
包亞士：《原始人之心》。
貝爾德：《美國憲法的經濟性解釋》。
李察茲：《文學批評原理》。
巴林敦：《美國思想之主流》。
列寧：《國家與革命》。
史賓格勒：《西方之沒落》。
當然，這本書所得的結論，是以美國讀者——尤其知識分子爲重的。

震撼世界的書

一九四五年，美國作家奚普（Horace Shipp）也寫了一本書，書名叫《震撼世界的書》。他的選擇標準，祇是最重要的書，不加時間、地點或內容主題上的限制。他最後選定的十本書是：

一、聖經。

二、柏拉圖：《共和國》。

三、聖奧古斯丁：《上帝之城》。

四、可蘭經。

五、但丁：《神曲》。

六、莎士比亞：《戲劇集》。

七、拜揚：《天路歷程》。

八、米爾頓：《請願》。

九、達爾文：《物種原始論》。

十、馬克思：《資本論》。

由於以上的實例可以看出，對於任何一本書要想求得一致的見解都是十分困難的事。要想編成一個書目而為各方一致接受，更幾乎是不可能的事。選書毋甯說自始就是一樁極個人的主觀的任務。

在《改變歷史的書》裡面，一共選入了十六本書（書名及作者請見前記，此處從略）。

雖然選書者唐斯博士不敢期望別的人都一致同意他的看法，但至少希望這十六本書的每一本都符合他自己所定的標準，的確是對於近代世界曾發生過重大的影響。此處附帶還可一提的是其他名著，也曾受到慎重的考慮，但後來由於某些理由終於未能入選。

入選與未入選

譬如說，在古典的科學論著中，魏薩里阿斯的《人體組織論》（一五四三年），在醫學史上或可以與哈維的《血液循環論》相提並論。又如萊布尼茲有關數學和物理的著作，與牛頓的《數學原理》也差可分庭抗禮。在社會科學方面，杜納的《美國歷史上的邊疆》，是一本極精彩的開風氣的作品，可惜它對世界的影響，不及麥金德的《地緣政治論》。魏姆（P.M.L. Weem）所著《華盛頓傳》，一八〇〇年出版，是影響美國思想與傳統最有力的書，譬如林肯總統一生中常常從這本書中汲取他自己立身處世的道理。還有丹納（R.H. Dana）的《航海兩年記》（一八四〇年），使得在海上航行的水手們生活情況大爲改善；又如辛克萊（Upton Sinclair）的《叢林》，揭發了世界最大的芝加哥家畜市場種種黑幕，引起了徹底的改革。不過，這三本書的影響，範圍究竟也是太窄了。

在最後入選的十六本書之中，有六本屬於自然科學，出版年代由一五四三年到一九一五年，有十本屬於社會科學，出版年代由一五二三年到一九二七年。十六本書之中，祇有一本即史佗夫人的《黑奴籲天錄》形式上是小說，不過它在每一方面都可以歸類爲社會科學的文獻。

時代與書之間

書目選定之後，常常有人要問到一個有趣的問題：究竟是時代造就了某一本書，還是某一本書創造了一個時代？或應該反過來說，某一本書能發生重大的影響是否因當時的環境已經成熟？如果某一本書在另外一個時代出版，是否仍有同樣的重要性？如果在另外一個時代裡，那本書能不能寫得出來？

這樣檢討的結果，所得的答案幾乎全無例外的是：時代創造了書。如果換一個時代，則某一本書可能根本寫不出來，也可能雖寫出來卻毫不受世人的重視。

譬如說，馬基維利的《君王論》，是因爲他要拯救他所熱愛的義大利祖國而寫。亞當斯密的《國富論》出版，恰當英國工商業開始發達，極需擴張之時。潘恩的《常識》引發了美國大革命；事實上在他的書完成以前，美洲大陸上便已經存在著即將爆炸的形勢。史佗夫人的《黑奴籲天錄》之於南北戰爭，與潘恩和獨立革命間的關係相同。馬克思的《資本論》，如果不是由於十九世紀中葉英國工廠的悲慘制度，他將無法發出那麼激烈的攻擊之詞。馬漢將軍的《海權論》出版後，的確激起了一八九〇年以後列強之間的海軍競賽；不過，在那本書出版之前，帝國主義式冒險擴張的壓力早已存在了。希特勒的例子更爲明顯，如果沒有第一次大戰之後德國大混亂的情況，希特勒不但寫不出《我的奮鬥》來，可能他會以一個奧地利無名畫師的身分而終老了。我們可以這樣說，引用「時勢造英雄」的道理，這些「改變世界的書」，正是出現在世界需要改變（不論是變好或變壞）的時機。

在這十六本書之中，有好幾本的影響力都是在出版之後許多年才被人注意到。當《國富論》與《資本論》引起人們注目時，亞當斯密和馬克思都早已逝世。當甘地將梭羅的《不服從論》應用到印度與南非時，梭羅已經下世半個世紀了。麥金德的《地緣政治學》，也是在出版數十年之後，因德國地緣政治學派之興起方始受到重視。

影響如何測度

另外一個問題是：所謂一本書的影響，究竟是如何測度出來的呢？本書作者唐斯博士已經說明過，他的標準是每一本「入選」的書，都必須曾經發生過重大的影響，而且這些影響確曾引起具體的行動或具體的結果。那也就是說，這些書對於歷史事件的發展方向，確有直接的關連。而這一型的著作常常是在某一種學科的範圍和某一特定的時期之內，要獲得某一些問題的解決。因此，它們所要解決的大都是有時間性、有具體範圍的問題。所以，這一型的著作往往比哲學、宗教和文學的偉大著作更接近現實人生。

測度一本書的影響力，有一條相當可靠的線索可循，那便是那本書問世當時社會上對它的反應——包括贊成與反對意見的強度。如果一本書曾激起強烈的反對，同時又有另一些人極力支持那本書中的觀點，那本書便極有可能曾經深深地影響到人們的思想。官方的檢查扣禁或其他方面的壓制，也可以說明它所受到的待遇。這一類資料，可以由當時的報章雜誌、意見紛歧的小冊子、歷史家的記述、以及各種傳記文字中得到。更要緊的測驗，是那書中的理論、計畫、或觀念，是否確曾贏得了社會的接受，是否曾跨越國界而獲得國際間的重視，是否曾被翻譯爲外國文字，是否曾因而招致了弟子門人、模倣者以及抱持敵對意見的人引起論戰。還要看那本書的內容最後是否的確已深入人心，影響了國族命運和人類前途。

還有一種奇怪的方式，藉了創造某些形容詞或名詞，來形容得自某一作者的某一些特殊的觀念或思想模式。西方人常常說的「馬基維利式的」、「哥白尼式的」、「達爾文主義的」、「馬克思主義的」等等，其中都包含了一套觀念；而這些專有形容詞，有時是褒揚讚美，有時是貶抑譴斥。由於這些人物的言行已經爲大家所熟知，所以祇要一提起來大家就都瞭解了。

多非易讀之書

《改變歷史的書》中所選的十六本書，大部分都是很不容易讀，亦即是極缺乏「可讀性」的書。讀者或不免要問，然則這些書何以又能在極少數的專家之外，影響到大衆呢？舉例來說，哥白尼、哈維、牛頓這三大科學家用拉丁文所寫的書，除了深諳拉丁文的天文學家、醫學家、或數學家之外，看得懂的人太少了。又如愛因斯坦的《相對論》，無論譯成甚麼文字，眞正能領會其精義的人太少了。在社會科學方面，像亞當斯密、馬爾薩斯、和馬克思的書，惟有在社會科學方面受過相當訓練的人才能充分瞭解其意義。而如哈維、達爾文、和佛洛伊德的著作，則又要具有生物學知識才能讀懂的。

對於這個問題，可以這樣回答：社會上大多數的人都是經由「第二手」的知識，得到這些書中觀念的概要；其得來的方法，有的是經過「通俗化」的書籍介紹，有的是經由一般報章雜誌的闡釋，教室裡或學術演講中聽到的講解；在近數十年來，廣播、電視和電影，也大大有助於將這些冷僻艱深的書籍予以普及化的介紹工作。

在這選中的十六本著作之中，在出書當時便成爲暢銷書的，祇有潘恩的《常識》，史佗夫人的《黑奴籲天錄》和希特勒的《我的奮鬥》三種而已。其餘的十三本，最初都沒有多少人眞正瞭解，甚至於也沒有多少人表示興趣或予以重視。因此，它們所發生的影響，完全是靠學者專家的解釋與說明。

知識的連貫性

在檢討這十六本書按其出版年代而編成的書目時，令人驚奇的乃是知識之連貫性——互相連貫的線索使它們密切地聯繫在一起。正如芝加哥大學校長赫欽斯博士所說的，這些「改變歷史的書」，乃是不斷進行「偉大的會議」。哥白尼的靈感得自古希臘哲學家。然後牛頓又「站在巨人的肩頭上」，包括哥白尼在內，展望世界，開拓了學術上的新天地。如果沒有那些前輩的知識，愛因斯坦可能永遠不會出現的。達爾文也曾坦然承認，在他之前的許多位生物學家、地理學家和地質學家的理論，對於他完成《物種原始論》有極重大的關係。實驗室的研究方法，肇始於哥白尼，而後幾乎每一位大科學家包括哈維、牛頓、達爾文和佛洛伊德都採用了這種方法來進行他自己的研究工作。這又是學術上承先啓後的例子。

人類嚮往自由的熱情，是使得某些學者或作家致力於寫作的動力。馬基維利是爲求義大利的統一與自由，亞當斯密是爲求英國工商業的自由，潘恩是爲求美洲殖民地的獨立自由，梭羅是爲求個人的自主自由，史佗夫人則是爲求被壓迫的黑奴的平等自由。可見自由是一個強大的力量，足以激發新的思潮。

後起的作者免不了受前人的影響，甚至有時故意模倣前人，或必須由前人的研究成果去引用資料。譬如說，馬克思曾引用了很多英國古典經濟學派的著作，尤其是亞當斯密、馬爾薩斯和李嘉圖。同時，在寫作方法上，馬克思曾妄自比附於達爾文，他自認爲《資本論》一書使他成爲「社會經濟學中的達爾文」。又如馬漢的《海權論》，大部分應說是「第二手」的著作，他運用了早期的海軍史、陸軍史以及一般通史的材料頗多。可是，經過他的組織與剪裁，並表現了他自己獨特的見解與主張，所以能成就一本偉大的著作。

麥金德雖然極不同意馬漢的理論，可是他和後來的很多位地緣政治學者都曾受到馬漢的著作之啓發和刺激。希特勒的《我的奮鬥》，在有意無意之間也曾受到馬基維利、達爾文、馬克思、馬漢、麥金德以至於佛洛伊德的影響。經過他自己的歪曲與擴張，才成了那樣一本爲禍世界數十年的怪書。

偉大不一定「大」

這十六本書的作者，包括四位美國人（潘恩、梭羅、史佗夫人、和馬漢），六位英國人（哈維、牛頓、亞當斯密、馬爾薩斯、達爾文、和麥金德），三位德國人（馬克思、愛因斯坦、希特勒），一位義大利人（馬基維利），一位波蘭人（哥白尼），和一位奧地利人（佛洛伊德）。在六個歐洲大陸國家的人中，有三個是猶太人。當然，如果由一個中國人、一個法國人或一個俄國人來選擇十六本書，也許選擇的方向又要不同了。

另外還有一個可能引起辯論之點，那便是「書的定義」究竟是甚麼。是否應該完全按其頁數的多少或開本的大小來決定。譬如說，目前一般規定以五十頁以上者稱爲「書」，四十九頁以下者稱爲「小冊」。照此標準，則潘恩的《常識》、梭羅的《不服從論》、麥金德的《歷史中的地理樞紐》、以及愛因斯坦《相對論》的初稿，都祇能算是「小冊」。其中的後三本，最初都是發表在雜誌上的文章。可是也有些書卷帙浩繁，如牛頓的《數學原理》、亞當斯密的《國富論》，以及馬爾薩斯《人口論》最後的版本、馬克思的《資本論》，和希特勒的《我的奮鬥》，都是洋洋大觀的大書。所以，由這本書的選擇來說，十六本著作的大小厚薄，與其入選與否並無關係。

三十年與三個月

與此相關的一個問題，是每一位作者化在著書上所用的時間。哥白尼創下了最長的紀錄，他的《天體運行論》陸陸續續費了三十年的漫長時光，雖然他不見得是天天寫，可是他那三十年之間幾乎都在思考、實驗、觀察與這本書有關的問題。牛頓的《數學原理》也是一本重要的大著，但他祇不過用了一年半的時間就寫成了。亞當斯密的《國富論》、達爾文的《物種原始論》和馬克思的《資本論》這三本書，各用了十七年的時間寫出來，可謂一個巧合。在寫得快的書之中，馬基維利的《君王論》用了六個月，潘恩的《常識》則用了三四個月便出版了。

寫作時間長短懸殊，可以歸納為幾個因素：每一作者的性格造成這種不同。自然科學家如哥白尼、牛頓、哈維和達爾文，他們對於所研究出來的理論，態度十分矜慎，在未經過徹底反覆求證並經過最嚴格的考驗之前，他們都拒絕將那些理論印刷成書，公諸於世。就是在一再查核無誤之後，他們仍遲遲不肯予以付梓，有的是害怕引起爭論，或遭受政教當局的查禁，有的是由於他們力求十全十美，顧慮科學界的同時人物會加以挑剔，更由於他們都不喜自我宣傳，所以延擱日久。至於經濟學方面的著作，亞當斯密與馬克思都因為必須採用許多資料，所以曠日持久。另一方面，像馬基維利、青年時代的馬爾薩斯、潘恩與梭羅等，都是急性的人，他們的意見一旦形成，便如鯁在喉，不吐不快。

分析作者生平

在這十六位作者中，絕大多數都是因一本書而揚名；像哈維、牛頓、亞當斯密、馬爾薩斯、馬克思、史佗夫人、馬漢和愛因斯坦，除了本書中所介紹的那一本名著之外，都寫過別的書，而且有些寫得很不錯，可是，除了少數專家以外，一般人就都不曉得了。十六人中的「例外」，是潘恩、梭羅、達爾文和佛洛伊德，這四位不但著述甚豐，而且別的書也寫得很好，很重要。

再進一步研究這十六位作者的生平傳略，可以對他們的性格有較深刻的認識。譬如說，作者的婚姻狀況對於他的著書立說有無關係？哥白尼是一個僧侶。另外，終身未娶的人還有牛頓、亞當斯密、梭羅和後來有了情婦的希特勒。此外，哈維、馬漢、麥金德和潘恩是結過婚的，但都沒有兒女。其中潘恩兩度婚姻結局都十分悲慘。馬爾薩斯有三個兒女，愛因斯坦有兩個兒女；馬爾薩斯結過一次婚，愛因斯坦則結過兩次。除了上述數人之外，像馬基維利、達爾文、史佗夫人、馬克思和佛洛伊德，結婚之後，兒女衆多。所以，婚姻與家庭狀況對於他們的著述與研究，很難說有甚麼一定的因果關係。

此外，也使我們想到年齡與智慧的成熟，大概對於這些偉大著作的產生具有密切的關係。這十六本書當其第一版付印時，最老的是哥白尼，當時他已七十歲了。最年輕的則是愛因斯坦，他祇有二十六歲。馬爾薩斯與梭羅是三十歲剛出頭，潘恩與希特勒快要四十歲了。如果以十年爲一期，畫成統計圖的話，由四十四歲到五十四歲，是這十六人中大多數人最有成就的一段時期。他們出書時的年齡都在這一段期間之內，由年輕到年長，其順序是馬基維利、佛洛伊德、牛頓、馬克思、馬漢、達爾文、哈維、和亞當斯密。另外，史佗夫人和麥金德則是在四十剛出頭時出版他們最重要的著作。

最後，總結起來說，這十六本書中大部分都有其共同的特性。除開自然科學的不談之外，這些書大多出於不妥協的獨立分子、激進派、革命者、宣傳家，以及具有狂想的人。這些書就其文字風格而言，有些的確應歸於寫得很「壞」的書。它們成功的秘密，如前文所說，乃是由於時機成熟，世人剛好需要它們。這些書中所表達的思想和意見，往往具有高度的感情成分，直接向千千萬萬人民傾訴。這些書的影響有好也有壞；由此可見，書亦猶人，是可以爲善也可以爲惡的。《改變歷史的書》這本書作者的原意，不是衡量每一本書道德價值的高下，而是在表明書是一種極有力量的工具與武器，它的動力有時強大到足可以影響歷史發展的方向。

目次

政治學之父與惡魔
馬基維利及其《君王論》

四百多年以來，在世人心目中，「馬基維利式的」這個形容詞，一直是與殘酷、邪惡、奸狡、陰險等字眼具有相同的意義。這個形容詞來自一個人，即馬基維利（Niccolo Machiavelli, 1469-1527）。

馬基維利這個人，也一直被認爲是喜歡玩弄權謀策略、僞善、不顧道德、不守原則的下流政客的象徵。世人解釋馬基維利的整個哲學，就是「爲達目的，不擇手段。」大家都已相信，馬基維利的最高原則便是所謂政治上的權宜之計，以利害得失來定是非。在十七世紀的英國頗流行的「老尼克」（Old Nick）這個名詞，其意思即指魔鬼與馬基維利的。換言之，他的惡名昭彰，已經與魔鬼等量齊觀。

究竟世人對於馬基維利的輕蔑與指責是否過苛？對於他的評價是否公平？不無重加探討

的餘地。

馬基維利的罪名，可以說完全來自一本書，即《君王論》（*The Prince*），此書著於一五一三年，但直到一五三二年即作者去世五年之後，才得出版。一本書決不能完全脫離其創作的時代，這種關係在《君王論》這本書得到了最明白的證明。而這本書也像其他偉大的書籍一樣，包含著許多不朽的至理名言。

政變後閉門著書

關於馬基維利其人的生平，在一四九八年前的情形如何現已無可考據；一四九八年他二十九歲，就任弗羅倫斯共和國政府的秘書。他在這城市國家服公職達一十八年。後來因外交使命而前往杜斯干尼（Tuscany），然後，跨越阿平寧山脈到達羅馬，後來更過了阿爾卑斯山。他得出使之便，結識了各國的帝王公侯，將相名流，如法國的路易十二，教皇亞歷山大六世，羅馬皇帝麥米倫。當時，弗羅倫斯與其他城邦國家如威尼斯、比薩、米蘭以及那不勒斯等之間外交上的傾軋衝突，幾於無歲無之。而當時各國政風都是令人難於置信的腐化。馬基維利是一個洞明世事，深達人情的角色，曾運用當時的情勢，和他自己的能力，完成了許多困難重重的外交談判。他後來對於有關政治的事務採取現實主義甚至犬儒主義的看法，無疑是以他自己親身體驗為根據的，在他經驗中，人類行為的動機，無非是貪婪與自私。

少年得意的馬基維利，後來卻因大局突變而備經險釁。麥迪奇家族因得西班牙之助，推翻弗羅倫斯的共和政體，恢復了王室。於是，馬基維利不但被解職，而且被當權的新貴驅之下獄，飽受鞭撻凌辱；最後，更被迫退居聖卡西安諾附近的鄉下，除了極短時間之外，他一直閉門隱居至一五二七年逝世時爲止。失勢以後，他伏首著述，先後完成了《君王論》、《論道集》、《戰爭之藝術》，和《弗羅倫斯史》等書。這些著作無一不涉及政治，有的是以古代政治爲對象，有的是以當代政治爲主題。

在馬基維利的本性中，究竟對於出任公職從事政治抱什麼態度，很難查考得出來。不過，有一種情緒我們由讀其著作可以體會得出的，那便是他是一個眞正的愛國者，他有滿腔的熱望，希望義大利能成爲一個強大統一的國家。他可能是一個冷靜的觀察家，一個充滿了機鋒的智者，但是一討論到義大利國家的統一，他便會變得熱情澎湃議論縱橫，而且十分之入世的。在十六世紀初葉義大利的情況之糟，確可以使每一眞正的愛國人士放聲痛哭。

在馬基維利時代的義大利，政治、經濟與神學方面都在醞釀著一場空前的鉅變。當時，在英國，在法國，在西班牙，都在經歷了長期的鬥爭之後，實現了國家的統一化。然而，在義大利，連所謂民族國家或聯邦國家的觀念也無人知曉。整個的義大利分爲五個單位：即米蘭（Milan）、弗羅倫斯（Florence）、威尼斯（Venice）、教廷（the Church State）和那不勒斯（Naples）。其中最大最強的是威尼斯。

義大利這種四分五裂的情況，是其國家積弱的根本，也是招致外侮的禍源。一四九四年，法國國王查理第八首先興兵越境。不久，他撤兵回去，但緊接著路易十二和阿拉岡的國王菲迪南又獲得同意，瓜分了他們兩國之間的那不勒斯。麥米倫皇帝也曾出兵征討威尼斯。德國的、瑞士的、法國的和西班牙的各路雄兵，都曾先後侵入義大利本土，並在義大利境內引起戰爭，互相攻伐，形成喧賓奪主之勢。

同時，在義大利人之間，勇於私鬥的現象極爲普遍，從公職者貪汙腐化，民間社會生活則視搶劫謀殺爲家常便飯。共和國與共和國之間，嫉視交惡，爭戰不已，根本無法形成一個強有力的戰線來協力抵抗外侮。而教廷當時又是處於教會史上最不振作的時期，由於不願見到在世俗權力中有一個強有力的對手，所以，教廷是寧願義大利不能統一的。

鼓吹堅強的領導

馬基維利看得很清楚，可能比他同時代的任何人都看得清楚，義大利的處境實在太危險了，正由於他退居林下，被迫在野，對於國事的憂慮反而更爲深切。他深信，要拯救義大利於分崩離析之中，唯一的希望是期待一位英明偉大的領袖出而領導群倫。在他心目中，這個領袖應該是堅強勇猛，足以對義大利境內星羅棋佈、實力孱弱的各小邦施展其權威，能將它們合併，「統一宇內」，不但足以禦外侮之來，而且可以將境內的外國勢力驅除淨盡。這樣的領袖人才何處去尋找呢？《君王論》這本書便是馬基維利心目中這樣一位領袖所必須具備的條件；同時，這本書中若干詳細的建議，也正是他心目中一個強有力的領袖欲成大功立大業所必須遵循的途徑。

《君王論》這本書，是獻給弗羅倫斯城邦的新統治者麥迪奇家族的羅倫祖（Lorenzo de Medici），可是書中的眞正主角乃是包吉亞（Cesare Borgia）。包吉亞乃是敎皇亞歷山大六世之子，他本人在十七歲時便獲得樞機主敎的尊銜，是一個英武的軍事領袖，羅馬格那（Romagna）的征服者，當時並以殘暴無情的獨裁者知名。

一五〇二年，馬基維利曾奉使駐節於包吉亞的王廷；他親眼看到包吉亞如何交替使用不同的手法，有時是冷靜矜愼，有時是旁若無人；常常是口頭上說盡了甘言蜜語，行動上則殘暴無比；同時又以僞託善良與背信無義的作風處世待人。他對於那些屬於他強權之下的被征服的人民，不惜使用種種殘酷恐怖的手段，壓制反側；對於那被征服的國家，更是以獨裁高壓的手段，做最有效的箝制。馬基維利對於包吉亞這種種施爲，深表嘆服，他認爲：爲王者固當若是。

包吉亞運用種種殘酷恐怖手段，的確獲得了相當顯著的成功，但其成功爲時頗爲短暫。馬基維利本人是一個共和政體的堅強支持者，但他在詳細考察了義大利當時種種困難的情況之後，認爲惟有像包吉亞這樣的人，才是在多年積弱，動盪不安之時最需要的理想領袖，唯有這一型的領袖方能撥亂反治，措國家於磐石之安。

馬基維利憑著他的滿腔愛國熱誠，提出了組織聯邦國家的建議；他由於深切感到外侮日亟，時不我予，所以要盡傾其畢生的學問與經驗，著成《君王論》一書；他認爲此書中的主張如果爲新王一一採納，仍不失使義大利中興之千載一時的良機。《君王論》著於一五一三年的下半年。作者費了六個月時間即告完成，然後上呈於羅倫祖王廷；他在獻詞中說明，「此書乃臣多年困學之所得，皆爲經無數艱難危險所獲之心得。謹以此書呈獻殿下，俾能在最短時間內瞭然臣之所學；此爲臣所能進呈之最佳獻語也。」

如何治理新王國

《君王論》這本書後來於一五三二年出版時，正文一共不過四十九頁。書中的主旨是：國家的利益高於一切；在公務生活與個人私生活之間，道德標準是不同的。根據這種說法，一個政治家爲了國家的利益，儘可以採取在私人交往中絕對不容許的暴力與欺騙等方法，以求貫徹其目標。馬基維利實際上是將倫理道德與政治分離爲兩個絕不相干的範疇，這便是他後來爲人攻訐譏評的最大原因。

《君王論》這本書乃是當政之君主王侯的指南（也有人說它是暴君們的手冊）。此書目的在導引政治領袖如何取得權力，如何保持權力。不過，馬基維利所主張的權力，不是爲君主王侯自身，而是爲了人民的福祉，君主有權力可以建立穩定的政府，防止內亂外患。

究竟如何可以獲得穩定與安全呢？

馬基維利認爲，世襲的君主是沒有甚麼困難的，祇要具有一般人的聰明才智，他就能夠控制政府，使政務順利進行。但是，在新創的國家，新立的君主，問題就複雜多多。一個國家如果藉征討的方法，兼併了新的領土，那些土地上的人民如係同文同種，使用相同語言，治理起來還較容易。在這種情況下，馬基維利認爲，祇要遵守下列兩個原則去做就夠了。一是將過去舊王室的後裔，徹底消滅。一是原有的法律與稅政，不要加以任何變更。

但是，新得的領土上如果住著的是不同語文的民族，有不同的風習與法律，治理的困難就爲之倍增了。馬基維利提出統治這種領土與人民的可能方式有以下幾種：統治者要住在新得的領土上，以增進民衆的向心力；否則就將佔領的殖民地贈予外國或臣僚，如此較直接派遣佔領軍要省事省錢；要與實力較弱的鄰邦增進友好關係，同時要致力去削弱那些強大鄰邦的實力。他指出，法國國王路易十二完全不顧這些基本的治國原則，因此遭受慘敗，甚至失去了他的王位。

在「新領地應如何治理」的大題目下，馬基維利提供了三種可能辦法，第一是毀滅它；第二是統治者住在新領地上；第三是引用當地的法律，嚴加治理，並且明定其按時朝貢，將政府權力交付少數當地土著之手，他們可以使所有的居民都成爲你的朋友。但在這三種途徑中，馬基維利認爲第一或第二種都是保險的。言外之意是第三種方法未必是有效的藥方。

他又說，「如果新得來的城池土地過去一直在一個君主統治之下，現在那君主及其後裔都被消滅了；如此，當地居民由於過去一貫受治於人，現在又失去了舊主，所以，他們就不知應如何做自由人，更不曉得如何在他們自己人中間選出一位領袖來。因此，他們往往未能毅然拿起武器來自衛。一個外國人就可以將他們說服，或使用武力攻擊使他們接受他的條件。」

在進一步討論「新王國」之時，馬基維利警告說，「必須牢記在心的是，群衆的心理浮動易變，雖然他們容易被說服而相信某一件事，但卻難以持久。因此，在人們不再相信他們自己的意願時，爲王者就應該斷然下令，如此，民衆尙可因外力強制而增強信心。」

作者於是對於包吉亞的政績，備致讚美揄揚。「當我回憶起包吉亞大公的種種行爲時，我不知如何去責備他，但在我看來……我應該把他推薦給後世的主政者，作爲示範的典型。由於他的高瞻遠矚，志量恢宏，使他的行爲不可能有別的不同的方式。因此，凡有新近得到王位的領袖，如果想要使其國家安全，王權穩固，得道多助，無妨以武力或詐術贏取友人；並且使他自己獲得人民的敬畏，士兵的服從；如果他想要消滅那些有實力而且有理由傷害他的敵手，或者要改變舊有的典章制度來適應新的情勢，……解散不可靠的部隊，另組新軍，並且與列國君主維持友好關係，使他們都能在幫助他的時候頗爲熱誠，在攻擊他的時候頗爲小心——一個君王要做到以上這些措施，最生動的例證便是包吉亞其人了。」

一個篡國者，「在他掌握權力之後，如果必須採取膺懲鎮壓等行動的話，應該一鼓而行，切不宜日日行之。不過，可以藉鎮壓行動的暫時中止以穩定人心，然後再藉施行仁政以贏取人心……仁惠之施予，應該一點一點的來，如此人民能體會得更爲深刻。」

恩威乃人主之權

恩威之施，乃人主之大權。馬基維利的主張，說得明白一點的話，就是殺人就痛痛快快的殺，把該殺的一氣都殺光，不要陸陸續續的殺。爲人民謀福利的事，則不妨慢慢來。

同時，馬基維利又建議，人民對於刑罰的恐懼，乃是明智的君主常常用以統治臣民的一種方法。他說——

王者能獲人民的好感，極爲必要。否則的話，如一旦遭逢逆境，就得不到有力的支持。但古諺有云，「建國以人民爲基礎，猶如在沙灘上建屋。」對於一般人來說，爭取他人的好感自然是不錯的，而且在危難之時，可以得到他人的救助。但是，身爲一國君王者，必須是一勇氣百倍且有指揮大才的人；他曉得如何保持其國內的秩序，永遠無需因爲將他的安全置於人民敬愛的基礎上而感抱憾。

關於國君應如何對待教會國家，也就是那些在羅馬教廷治理之下的國家，馬基維利用了一些相當諷刺的字眼。他說，那些教會國家「建國是由道德高尚或運氣特佳，但其國運之保持卻既不靠道德也不靠運氣。……這些國家的君主雖有土地卻不去守衛，雖有臣民卻不去治理。」

馬基維利的著作中，攻訐羅馬敎廷之處甚多。他的著眼點倒並不在神學上或宗敎理論上的論爭，而是由於在十六世紀初葉，羅馬敎廷並未能掌握時機，統一全義，逐退未來的侵略者。換言之，他是從民族主義的出發點，不滿敎廷，因而積極倡導「政敎分離」的。

強有力的政府，必須擁有強力的軍隊；這是馬基維利的理論。因此，他認爲凡關軍事，都是國家大政中最重要的部分，他在《君王論》中對軍事方面發揮甚多。在他那個年代，大多數義大利的各小城邦，都慣於用金錢招募「傭兵」，而這些負責捍衛疆土的傭兵中，竟往往大部分是外國人。馬基維利指出，這些外籍傭兵不僅「無用」而且「危險」；他竭力主張，國家的軍隊必須由本國的國民組成，方能勇於作戰，在危急之時亦較爲忠貞可靠。由於國家的存亡繫於軍力的強弱，所以，一國之主對於戰陣軍旅之事，必須全心硏究，視爲最要緊的學問，最重要的工作。

在《君王論》中，馬基維利以數章的篇幅來討論「王者」的行爲——在各種不同的環境中，爲君者應該採取的正當行爲。他說，「在人的實際生活形式以及他自認爲應該採取的生活方式之間，具有極大的差別。爲君主者爲要保持其權位，必須學習如何能夠不必做到至善的地步，並且要視環境的需要來決定應該用或不用他的善行美德……我曉得，如果爲君主者能擁有世人所稱道的一切美德，當然再好也沒有了，不過，因爲事實上他不可能擁有那樣十全十美的美德與善行，而且他也不可能永遠是言必忠信，行必恭敬，……因此，他必須要小心翼翼，去避免各種寡廉鮮恥的醜行，否則便可能使他被迫失去政權。」

他又說，一個君主應該不必斤斤計較他會有吝嗇的名聲。無論他花費的是他自己的、他的臣民的或其他來源的財物，他都應該有所節制。不過他又建議說，「當花費既不屬於你自己亦不屬於你的臣民之所有的財物時，你無妨一擲千金，慷慨施與。……這些財物是因用兵得手，攻城掠地之後所得，儘可以施惠四民，如此則不僅不會有損你的名譽，而且反會增加你的聲威德望。不過如果你所施予的，是屬於你自己的財物，那就無益而有害了。」所以，照他的說法，慷他人之慨是可以的，眞正自己「出血」則大可不必。他認爲君王過分的揮霍、大方，可能招致自我毀滅。因爲揮霍的結果必使國困民窮，不知伊於胡底。更糟的是如果身爲君主的人，一面要擺闊一面又要竭力搜括民間的財物，自然會招致人民的痛恨，那是很危險的。

愛與畏的平衡

馬基維利強調君主的權威；他甚至建議，爲人君者應該將「殘暴」作爲一種武器，以使其臣民在敬畏戒懼的心情下，團結一致，向君主輸誠效忠，服從無二。他說，「人能洞燭機先，見到一二朕兆，立即採取鎮壓行動，實較優柔寡斷，縱容事態自行發展而演變成爭掠流血之局，具有更大的慈悲救世之心。因爲使禍亂坐大，受害者是整個國家；至於君主的嚴酷殘暴，受害者尚不過若干個人而已。」從這一段話看來，多少給人一種印象，即國君爲了維持國家的安定，「殺無辜以保天下」也是値得原諒的。這當然與近代的民權思想是極爲衝突的。

下面是馬基維利的一段名言：

「因此引起一個問題，究竟（爲君主者）被人民敬愛甚於畏懼好呢，抑或是畏懼甚於敬愛好些。這問題的答案可能是，最好能夠兩者兼得。但是，由於愛和懼兩種情緒極難並存，如果我們必須在二者之間作一選擇，則能被人畏懼實遠較被人敬愛爲安全。蓋一般人皆是忘恩背義，虛僞善變，趨避兇險，貪求無饜，當你能對他施惠時，他對你卑躬屈節，甘效驅馳；當沒有甚麼危險的時候，他們會信誓旦旦，願意爲你流血，願意犧牲他的財物，願意犧牲他們自已乃至他們兒女的生命；但是一旦到了患難之時，他們馬上就會翻臉無情，挺身而出來反對你了。」

這些話當然都是極端憤世嫉俗之言，但亦不能說它不包含有幾分眞理。不過，他最後的結論還是置「愛」與「畏」於平衡的地位。他建議人君「應盡一切力量，避免遭人民的忌恨。」

公然主張不守信

在《君王論》全書之中，最爲世人指責詬誶的一章，是第十八章〈國君應如何守信〉。「馬基維利式」的這個形容詞之具有貶斥之意，主要也便是由於這一章。馬基維利在這一章中說，「守信」當然是一種可貴的美德，但是，欺詐、僞善、發僞誓等，爲了保持政治權力，必要時乃可一用。他說——

「鬥爭的方式有兩種，一種是按照法律，一種是使用武力；第一種是人類所使用的，第二種是野獸所使用的。但是，由於第一種方式有時不甚有效驗，因而往往不得不採用第二種方式。因此，爲人君者必須能深切瞭解如何善於運用人和野獸……又由於君主應該知道如何善用獸性，他應該選擇獅子與狐狸這兩種野獸的性格；獅子無法使牠自己永遠不落在陷阱中，狐狸則一遇上狼群就無以自衛……一個謹愼的國君既不能也不應該爲了那些他曾說過而對他自己有害的話守信，尤其是當他提供誓言的原因已成過去的時候爲然。如果天下的人都是好人，這番建議當然是不好的。但正因爲他們是虛僞的，而且絕不會對你守信的，所以，你當然也就不必對他們守甚麼信用。一位君王祇要有好像說得過去的理由，就儘可以不守然諾，而不至於受到任何損失。……人類是如此簡單，而且是絕對爲其眼前的需要所統御。如果有人想要欺騙別人的話，他永遠不愁找不到甘願上當的傻瓜的。……因此，一個人被別人看到似乎是慈善、誠實、人道、虔誠、清高，當然是很好；若能眞正實踐那些美德就更好。不過，在你心裡邊必須善於平衡，如果是沒有必要的話，你就應該能夠而且曉得如何採取完全相反的態度。……人人都看到了你的外表像甚麼樣子，但幾乎沒有人曉得你的內心眞正是甚麼樣子。」

他這種建議乃是先假定「世人皆僞」，所以非用欺騙狡詐的手段不可。事實上無分古今中外眞正能成大功立大業的領袖，無一不是以至誠格物的精神，昭大信於天下的。

馬基維利說，爲人君者必須設法避免爲臣民憎恨或藐視。他說，君主遭臣民憎恨仇視，主要不外兩大原因：一個是侵奪臣民的財貨，一個是霸佔臣民的妻女。所以，他強調，爲人君者對於財帛子女，不可存貪得之心。否則的話，「如遭人民之憎恨，雖金城湯池，也不足以保障王者的安全。」

他指出，君主被臣民驅逐或推翻，最直接的原因，是由於臣民看到了君主「反覆、輕薄、娘娘腔、卑怯而無決斷」的樣子；照這樣說來，東方國家的君主務求「神秘化」，不能不說有點道理了。

馬基維利又說，君主欲厚結臣民的敬愛之心，應該凡是施恩於衆的事，都要親臨主持；但如張刑罰，申法紀，或其他足以引起人民不滿的事情，都應該留給其部下的官吏去做。

關於「君主自處之道」，馬基維利提出建議說，「君主應表明他是一切卓越成就的守護神；凡人在藝術上有一技之長者，都應該授以榮譽以資獎進。他應該曉諭臣民，使他們盡力去追求進步，無論在製作業或農藝方面……他們應獲得保證，即當他們的產業美化之後，不至於爲豪者所攘奪；當他們開創新行業之時，不至於被國家課徵新的捐稅。」

此外，馬基維利更主張國君應該仿照古羅馬執政者的榜樣，每年「在適當的季節，舉辦各種集會和表演，與民同樂。」

馬基維利雖有「政治學之父」的稱號，但是，說來奇怪，他卻是一個極端相信命運的人，也許這是由於當時一般人重視占星學的影響。關於運命之事，他說得非常富於詩意。他說，「好運道，乃是我們一半行動的情婦；她將另外一半、也許還不到一半的行動之控制權，留給了我們自己。」不過，他也深信，人自己可以相當地控制命運，「激烈的行動反而比小心謹愼來得好。因爲命運是一個女性，你應該打她或粗鹵地對待她；越是對她頤指氣使的人，反而比那些怯懦的人，使用柔弱的方法與她打交道的人更佔上風。命運常常像女人一樣，喜歡年輕的人，因爲年輕人顧慮較少而熱情較多，敢於更大膽，更旁若無人的指揮她。」

數百年列爲禁書

《君王論》這本書的結論，題爲「解放義大利的倡議」，鼓吹愛國主義精神，亦是作者心目中畫龍點睛之筆。他說，目前時機已經到臨，由一位新君，與義大利的英雄人物，攜手前進。他指出，「義大利目前的處境，比希伯萊人更像奴隸，比波斯人更受壓迫，比雅典人更分裂，全國沒有一個領袖，也無所謂法令紀律，被異族攻擊、凌辱、分崩離析、瀕於毀滅……」他最後激昂慷慨地說，義大利再不容這一機會失之交臂。「我們看到義大利祈禱上帝，派遣一個人來拯救義大利於野蠻的暴政與壓迫之中。我們也看到，義大利已妥予準備並且熱切期待著，有人（那新的領袖）揭櫫任何新的標的，義大利都將奮起而追隨。」

在《君王論》發表之後約三百五十年，馬基維利夢寐以求的目標方告實現，義大利脫離了外人的統治，建立了獨立而統一的國家。

《君王論》這本書的手稿，當馬基維利在世以及剛去世的最初幾年，曾有若干抄本流傳。一五三二年出版的版本，是經天主教教宗克萊門七世（Pope Clement VII）批准後印行的。克萊門七世即此書所奉獻的那位「君王」的表兄。出版後二十年間，曾出現了二十五種不同的版本，其受各方重視的情形概可想見。

但是，在一五五〇年代發生了大風波。當時，羅馬教廷之下的杜倫特委員會下令，要毀滅馬基維利的全部作品。這「杜倫特委員會」（Concil of Trent）是教廷所指定的一個組織，在一五四五到一五六三年間，集會於義大利北部的杜倫特城。委員會的任務，是研究有關教義與神學上的種種問題。

此後，馬基維利經羅馬宣佈爲「無神論者」，在當時那是一項頗多不便的罪名。他的作品在羅馬乃至全歐洲都遭查禁。德國的耶穌會教士們甚至用草人作他的形象，焚之解憤。天主教與基督教內不同的宗派，居然在指責馬基維利這一件事上完全一致。一五五九年，馬基維利全部的著作，都被編入了《禁書索引》（*Index of Prohibited Books*），普通人絕對無緣寓目了。

直到十九世紀，馬基維利的冤獄始稍得平反，聲譽也漸次恢復。由於當時發生在美國、法國、德國，以及其他各地的革命運動，在歐洲言，那便是政教分離運動，使教會不再干預國家政治。義大利的爭取自由十字軍運動，到一八七〇年達到了成功的顛峰。這一運動便是導源於馬基維利激昂慷慨、振振有辭的愛國言論。歷史學者對於那一段史實發展的評斷說，當時義大利的領袖是卡弗爾伯爵（Count Cavour），他就是遵照了馬基維利的議論，團結義大利境內的各種力量，將入侵的異族驅逐出境。歷史家於衡量各種可能的發展之後指出，如果卡弗爾伯爵採取任何其他的路線，其結果都必然是一敗塗地。

獨裁者咸表嘆服

說到《君王論》這本書不好的影響方面，當然，無可否認的，歷代的獨裁者與暴君都曾從這本書中得到若干「極有用」的建議與忠告。對這本書公開表示讚美而且按照書中的步驟去實行的政治領袖太多了。

舉其犖犖大者至少有下面這些人——

■羅馬帝國皇帝查理五世對此書頗致讚美，許為治國者所必讀。

■克倫威爾（Oliver Cromwell）曾珍藏此書的手抄本一部，當他在英國組成政府，與王室對抗時，曾數度引用《君王論》中的原則。

■法王亨利三世與亨利四世，對於此書也都深爲愛好；他們兩人被謀殺之時，身邊各藏有《君王論》一部。

■普魯士的菲特烈大帝（Frederick the Great）是一代英王，他主持普魯士的內外大計，有許多政策是根據《君王論》的精神擬定的。

■法王路易十四也是時常檢閱此書，終年不離。他說《君王論》這本書，「是我最心愛的睡帽」。燈前枕上，非讀不可。

■一世之雄拿破崙，是《君王論》的信徒，當他在滑鐵盧那場決定命運的戰役失敗之後，有人在拿翁的座車中發現了一本他親筆註解過的《君王論》。

■拿破崙三世關於政治方面的主要計劃，幾乎完全以這本書爲本。德國的「鐵血首相」俾士麥更是對這本書佩服得五體投地，誦讀不輟。

■在近世，德國的希特勒自稱，《君王論》一書乃是他牀頭的恩物，時時要從書中尋求啓示。

■義大利的墨索里尼則說得更爲坦率。他說，「我相信馬基維利的《君王論》乃是政治家的最高指南。他提出的敎言，至今依然生動有力。在過去四百年間，在人類的心靈中以及在各國的行動上，都沒有發生過甚麼深刻的變遷。」墨索里尼如此讚揚馬基維利，可能由於他是義大利統一最有力的鼓吹者。不過，到了一九三九年，墨索里尼的想法大大改變，他親自列出古代與當代的作家，編入法西斯書目索引；指示羅馬的圖書館人員，馬基維利的任何著作，都不可借閱。

對於歷史事件觀察敏銳的學者，在看到以上所舉的例子之後，都會有一個想法：即希特勒與墨索里尼之流的暴君，雖曾自命爲《君王論》的信徒或馬基維利的知音，但卻都曾掀起了一代浩劫，造成國破身亡的悲劇。這並不是馬基維利的錯誤，而是希墨之流忽略了或誤解了馬基維利理論體系中某些重要的基本原則。

以霸術救亡圖存

研究馬基維利學說的人大都同意，要想充分瞭解他整個的思想，必須要將他兩部重要著作都仔細閱讀不可。這兩本著作，一本是《君王論》，另一本便是《論道集》（*The Discourses*）。《論道集》這本書，馬基維利花了五年時間才完成，於一五三一年出版，篇幅較《君王論》多得多。這兩本書都是以討論政治學上的問題爲主，不過，《論道集》所討論的是「應該如何」，比較側重於理想；《君王論》所討論的是「現在如何」，比較側重於現實。《君王論》全書所論，限於君主國家，當國者僅有一位國君，擁有全權。《論道集》所討論的則是共和國家應遵循的政治原則。

將這兩部著作仔細研讀，並加以比較之後，便會發現一個相當驚人的結論：馬基維利乃是一個篤信共和政體的人。他並不喜愛專制政體，他認爲能將民主政體與君主政體合在一起方爲上上之策。他瞭解，任何一個統治者，如果不能得到臣民的愛戴，總是不安全的。基礎最穩固的國家應該是那些由君主治理而又受到憲法節制的國家。馬基維利認爲，人民的判斷與選擇，是公正健全的。他的建國理想，乃是古羅馬時代的共和國；關於這點，他在《論道集》中曾一再提到。

至此，自然有一個問題不免要提出：既然馬基維利認爲自由人民所建立的共和國家應在其他一切政體之上，何以他自己又會寫出像《君王論》這樣「帝王之學」的著作，來爲專制政體辯護呢？理由是《君王論》乃是因應一個特殊的時代、特殊的環境所寫。馬基維利顯然已經看得很透徹：要想在十六世紀的義大利建立一個成功的共和國家，事實上是辦不到的。《君王論》這本書的完成，惟一的目的在於聲援一位強有力的領袖，能拯救義大利國家免於分崩離析，並使其人民脫離水深火熱的悲慘境遇。在馬基維利看來，爲了國族的存亡興廢，使用任何一種武器都可以，祇要確實有效就行。他認爲一個英明的國王，爲挽救當時的義大利而言，遠比共和政體爲有效。用中國的說法，他乃是先要「霸術」來救亡圖存，站得住腳以後，才能夠去談「王道」。後世誤以爲《君王論》便是他政治理論的全部，或者政治理想的最高境界，那都是誤解了。

馬基維利的影響是多方面的，如普利佐禮尼（Giuseppe Prezzolini）曾做一個綜合的評斷說：「馬基維利是一位教士，然卻是教會的敵人。馬基維利是一位愛國者，是念念不忘義大利統一的救世主。他又是一位軍事學者，爲倡導成立國家軍隊的先鋒。馬基維利也是一位哲學家，他發明了一種新的思想方式——實際的精神。馬基維利更是一位卓越的作家；作家們對於他在寫作時所流露的陽剛之美，和旁若無人的態度，都表示敬佩……」

馬基維利的《君王論》，在西方政治學著作中，可以說是最富「革命性」的書之一。所以，有人稱他爲「政治學之父」。如果與我們中國歷代的學者相比較，與馬基維利最接近的應該是韓非。在中國，孔孟的儒家思想是正統，申韓的法家思想是在逼不得已之時偶一用之的手段。雖然我們不能說每一個西方國家的統治者，都是馬基維利《君王論》的忠實信徒，這也正如我們不能說每一個中國的政治領袖都是孔孟的忠實信徒或儒家學說的實踐者；不過，無論如何，由《君王論》一書在西方歷史與政治上的影響，我們也可以約略了解中西文化精神的異同，與思想主流的差別了。

憤怒的吼聲
潘恩及其《常識》

在美國大革命爆發前夕有一本重要著作，即潘恩的《常識》。千千萬萬人——包括開國元勳華盛頓在內，因此書而堅定了他們對英一戰，爭取自由的決心。有人甚至認為，如果沒有讀過《常識》這本書，便無法瞭解美國的歷史以及其立國的精神。

三十七年間的失敗

托瑪斯·潘恩（Thomas Paine）由英國到達美洲大陸那一年，已經三十七歲了。沒有一個頭腦清明的人會預言他能有光明的前途。直到三十七歲時為止，他所經歷的都是相繼而來的失敗與挫折。任何一件事情，祇要他一插手，最後必是不幸的結果。可是想不到在此後的幾年之間，他竟成為英語世界影響最大的作家，美國歷史上引起爭論最多的人物，一個政治宣傳家與革命者，並且在北美殖民地，在大不列顛帝國，在整個西歐，都成了赫赫一時的名人。有人對他既畏又恨，也有人對他頂禮膜拜。究竟道理何在呢？難道他眞是在橫越大西洋的海行之中，一夕間突然由庸人變成天才了嗎？

當然不是如此。我們如仔細考察潘恩的早年生活，便可發現他去美之前所受的顚躓困頓，都正是他日後一鳴驚人的準備工夫。

潘恩於一七三七年一月廿九日，出生在英國東部諾伐克郡的塞特弗城。父親是個清教徒，母親則信奉英國國教。潘恩因自幼家境極貧，屢操賤役，直到十五歲才入小學讀書。據他自己說，他在校中「受到極佳的道德精神教育與相當實用的學識。」對於科學與發明，他自幼興趣甚濃；成年後雖然奔波於四方，不暇寧處，對於新知的探討仍樂此不疲。

在受過短暫的正規教育之後，潘恩開始隨父親學製女人的胸衣。做了三年，單調乏味的工作使他無法忍受，於是離家出走，偷偷投身於一艘海盜船上。那條船名叫「恐怖號」，船長的綽號是「死神」。由這兩個名字就可以想見，那樣的環境更非充滿了夢幻的潘恩所能安然定居的。好不容易才由他的父親設法把他救下船來，回鄉去重操舊業。到了十九歲那年，他再度出走，搭上一條叫做「普魯士王號」的私掠船。這一次時間很短就回到陸上；不過他不肯重返故鄉，便留在倫敦從事縫製緊身衣的行業；閒暇時，就跑出去聽一些有關天文學的演講。當時天文學因航海事業發達而成爲一種熱門的知識。

一行作吏請願獲罪

在倫敦那幾年，潘恩依然是掙扎於貧困之中。後來他娶了一個孤兒院中的女僕爲妻；不幸那少女一年之後就去世了，她的父親在稅務局裡當小職員，他喜歡那個職業，是因爲稅務衙門工作甚閒，可以讓他有足夠的時間去從事其他消遣。潘恩受了老岳丈的影響和提攜，不久也由成衣匠而轉任稅吏。

從事稅務工作吃力不討好，潘恩負責緝私查稅，幹了不久就結怨四方，親朋都視同陌路。後來更因爲他的心地太軟，執法不力，爲當局免職。他衹好又回去縫衣裳，做了一陣子，轉往根辛敦去教書。教育工作極爲清苦，他一年薪水衹得二十五鎊。生活實在維持不下去，衹好厚起臉皮再去稅務局裡「爲五斗米折腰」。潘恩一七七一年再度結婚，婚後與妻子和岳母同住在路易斯。他的景況仍未見佳，幸虧他太太經營一家出售煙草雜貨的小店，略博蠅頭微利，勉強貼補度日。

潘恩的生活粗獲安定，公餘之暇，常出入於白鹿酒店，參加各種社交集會，酒酣耳熱之時，他每每乘興賦詩作歌，乃至寫些嚴肅的論文，在友輩間流傳。他更愛與同僚議論時事，炫示他雄辯滔滔的辭鋒。

由於潘恩機敏善辯，所以，後來當稅務人員們要求加薪並改善工作條件時，大家便推舉潘恩做他們的發言人。潘恩受命之後，鄭重其事地花了好幾個禮拜的工夫，寫成一篇請願書，「論稅務人員之薪俸及待遇不足與貪墨風行」。一七七二年冬季，他前往倫敦向議會及政府當道請願。

這一次上京結果甚爲悽慘，不僅請求加薪案立遭駁回，潘恩本人並因「擅離職守」的罪名而再遭免職。太太的雜貨店也受累破產，潘恩將家中的家具和私人衣物一一出賣，羅掘俱窮，才免於因負債而坐牢。他的太太爲此一怒而下堂求去。已入中年的潘恩，此時無親無友，一文莫名，在茫茫人海之中，竟無一枝棲身之所。

富蘭克林函介赴美

幸好潘恩旅居英倫時，曾結識美國的開國名賢富蘭克林；富蘭克林當時是北美殖民地駐在英倫的代表。他不愧是一位創業的人物，不僅禮賢下士，而且頗有知人之明。他認爲潘恩是一位頗有才華的青年，因此便寫了一封很懇切的介紹函件，給住在費城的女婿李察·巴契；囑咐巴契要設法爲潘恩安排一席館地，或任公職，或作教員，或參加土地測量工作。潘恩就這樣啓程赴美，當他於一七七四年十二月初到達費城時，他所有的財產就是富蘭克林的那封信。

如果說潘恩還有甚麼別的資產的話，那便是他過去所得的經驗。他經歷過貧窮的生活，因此深深瞭解民間疾苦；他瞭解英國的官場對老百姓的苛虐與剝削；但他聽到過也談到過不少有關天賦人權的議論。尤其是英國幾千個貴族與幾百萬平民之間權利義務的鴻溝，使他印象最爲深刻。而且，他也曉得英國在選舉法修正以前下議院選舉的那一套辦法，同時對於貴族階級腐化貪汙，愚蠢無能的種種情形，他在一行作吏的生涯中，自不乏體會親嘗的機會。由於這種種經歷，使他自始就成爲一個民主制度的強力支持者，由於人道與民主體制的嚮望，他很自然地熱中於全面性的社會改革與政治改革。

小小刊物大大改革

潘恩到達費城不久，就應聘出任剛創刊的《賓州雜誌》（*Pennsylvania Magazine*）的主編；這本雜誌一共出版了一年半，大部分是由他主持。憑著這本小小的刊物，他幾乎是「孤軍奮戰」般地發動了許多改革運動；首先，他發表論文反對奴役黑奴；五個禮拜之後，費城就成立了第一個反對蓄奴的團體，主張實施釋放黑奴。隨後，他又大聲疾呼要求給予婦女平等權利；提議成立國際性的保障著作權法案；反對虐待動物；譏評「決鬥」是一種野蠻的風俗；甚至開始呼籲世界各國，應該廢棄以戰爭作爲解決國際爭端的手段。

幾乎就在他呼籲廢棄戰爭之同時，英國對北美殖民地的戰爭已經激烈展開。一七七五年春天的康柯之役、萊辛敦之役、彭克山之役戰況皆甚慘烈。潘恩曾寫信給富蘭克林說，「就在我踏上美洲的土地之後，耳鼓中便充滿了鉦鼓殺伐之聲。」

當時北美殖民地上的輿論，陷於嚴重的分裂。其中有極端主戰的如薩繆·亞當士，如約翰·漢柯克等，大力倡導對英開戰。但屬於托雷黨的保守分子，則仍主張應向英皇效忠。當時深負衆望的領袖如華盛頓、如傑弗遜、如富蘭克林，內心中都希望能有妥協之餘地，對於要求獨立的主張，認爲不切實際。所以美國史上的第一次和第二次大陸會議，決議案中都一再重申殖民地仍在英皇統治之中；以此爲出發點，來請求英國王廷和政府對殖民地給予公平的待遇而已。

在這種思想混亂，意向模糊的時代，有一個人把當時的情況與未來的發展看得很清楚，那便是潘恩。他自始就認爲北美殖民地脫離英國而自立，是必然的演變。他在一七七五年秋季將這種看法寫了出來。他把完成的原稿分交幾位朋友審閱，其中一位是羅西博士（Benjamin Rush）。羅西建議他用《常識》作這本書的書名；並且介紹費城的書商貝爾承印這本書。

《常識》出版震驚北美

《常識》（*Common Sense*）於一七七六年一月十日出版，潘恩並未署名，作者祇是「一個英國人」。按照西方習慣，一本出版物在五十頁以上才能稱爲「書」，《常識》則祇能稱為「小冊」(Pamphlet),它僅有四十七頁。當時定價是每冊兩個先令。

《常識》出版後的頭三個月,賣了十二萬冊。後來一再增印,竟售出五十萬冊之多。以當時的人口比例而言,等於現在一本書賣到三千萬冊。幾乎可以說在十三州內每一個知書識字之人,都曾讀過這本小書。雖然此書風行一時,作者潘恩卻謝絕報酬,不曾取分文版稅。

《常識》篇幅無多,但其引起的影響則罕與倫比。這書中指出,革命是北美殖民地對英國與英王喬治第三之間一切爭執的惟一解決之道。「事態發展至此,除了施以打擊之外,別無善策可循。看在上帝的份上,讓我們採取最後的行動吧。……我們付出了彭克山之役那樣的代價,如果祇是為了要求法律而非要求土地,那就實在太愚蠢了。……這不是一城、一郡、一省或一國之事,這是為了整個的大洲。……這不僅關涉到一天、一年或一代之事,而是我們子孫萬代的前途都在考驗之中……現在正是為了這一大洲的團結、信念與榮譽播種的時期……北美地帶彼此間的聯繫實在太鬆懈了……獨立是惟一的連鎖可以使我們團結為一。」

在書中的第一部分,潘恩運用英國的憲法精神,來說明政府的起源與性質。他的政治哲學,承襲著早期自由主義與個人主義的思想,認為「政府,即在最好的情況之下,也祇是一種必須的罪惡;在最壞的情況之下,則令人無法忍受。」他認為在人類社會中有政府的出現,「乃是由於道德力量不能統治世界;政府為此而設計,它的終極目標亦即在此:保衛人民的自由和安全。」

人與人間共同利益

潘恩在「社會」與「政府」之間，畫下嚴格的分界線。他說，人們由於合作，可以滿足他某些欲望，因此而組成社會。在進入社會中時，人仍保持著若干天賦的權利，如自由和平等。在理想的境界中，人可以生活在和平幸福之中而無需建立政府；但必須是大家的良知清明，而且大家都能普遍地依良知行事。但由於人類本有種種弱點，道德上總是有不完美之處，因此需要某些約制的力量；這種力量就來自政府。人民的安全、進步、與安適，是依靠社會而非仰仗政府。社會的風俗習慣，以及人與人之間的共同關係與共同利益，比任何政治建制具有更大的影響力。

潘恩對於英國憲政，也有激烈的批評。他指出，英國憲政體制萌芽之初，的確是黑暗野蠻時代的一大福音。但是，英國的憲政是不完美的，因此也就不能實現它所預期的效果。他指出，政府人民的關係上最要緊的一點，乃是負責任；英國憲政體制之下對於責任問題完全沒有規定。他不滿意英國政治那一套制度之複雜，「簡直無從決定究竟是甚麼人應該對甚麼事情負責。」在英國，人民在理論上享有政權，他們可以選舉議員進入下議院。因此，潘恩主張，北美殖民地也應該以民主方式來選舉議員，組成議會；同時選出總統和內閣，他們應該向議會負責。

潘恩這些意見，在當時眞是「驚世駭俗」，但後來美國政府的組織大體與潘恩的構想符合，潘恩的《常識》，幾乎有我國儒家「半部論語治天下」的效果，作者泉下有知，當可引爲自豪了。

攻擊皇家剖析利害

在潘恩這本書中，措詞最烈，攻訐最猛的，乃是英國皇家的世襲制度。他先攻擊君主制度之落伍，然後再把英國的情形提出來，作爲批評的對象。他認爲，君主繼承制度不僅對於一國民衆是極大的蔑視，而且也違反自然。

潘恩歷述英國歷史上王室遞嬗的沿革，他指出，一個法國出生的私生子，率領著一支土匪侵入英倫三島，建立了王權，「這實在沒有什麼神聖可言。」此後的歷任君主，不稱其職者遠較賢明睿智者爲多。

有人說，世襲制度至少有一個好處：它防止了因爭奪王位而爆發內戰的危機。潘恩反駁說，英國自被異族侵入以來，已經發生過八次內戰和十九次叛亂。他說，英國的君主除了打仗，就是分贈土地給他所寵愛的人，說不上對國家及其臣民有甚麼貢獻。

在攻擊君主專制的罪惡方面，潘恩的《常識》中措詞之鋒利，情詞之激昂，以及運用時事之貼切，很容易令人聯想到我國革命先烈鄒容所著的《革命軍》。

當時在北美的「保皇派」，反對與英國分離最重要的理由之一，是經濟問題。他們認爲，北美經濟之繁榮，全賴與英國保持聯繫。

針對這種誤解，潘恩說，以北美殖民地這樣廣大豐饒的一片土地，「無論如何是要繁榮起來的，即使英國一點也不管，我們照樣可以繁榮，也許比現在還更要繁榮得多。」當時北美的物產幾乎完全是農產品，他說，「歐洲人要吃飯的。我們的糧產可以在歐洲任何市場上賣好價錢。我們進口的貨物當然需要付錢，可是，我們可以高興在甚麼地方買就在甚麼地方買。」

至於說英國可以保護北美，使得免受法國人、西班牙人和印第安土著的侵擾，潘恩提出的答覆是，「英國人爲了貿易和統治權，就是叫他們去保護土耳其他們也會幹。」而且，他特別強調，無論是對抗那一種方式的侵略，「都是我們自己出錢。」

逝水東流豈可挽回

當時，北美殖民地的一般人還有一種相當普遍的心理，他們總把英國看做祖國，（英文直譯應該是「母國」，即 Mother Country），潘恩說，「如果英國眞是我們的母國，那她的行爲就更爲可恥。虎惡不吃子，野蠻人也不會與自己的家人打仗。……我們的祖國，應該說是歐洲而非英國。」他指出，移民到新大陸來的人，都是愛慕人權自由信仰自由的人，因受到迫害而離開歐洲。他們來自歐洲的每一部分。「在北美居民中，即在本州就是如此，眞正從英國來的人不到三分之一。」

潘恩更雄辯地指出，北美臣屬於英國，還有一個更大的不利之處。「祇要我們是英國的殖民地，一旦歐洲發生任何爭執或戰爭，都將使我們蒙受其害。歐洲各國都希望博取我們的友誼，我們對他們既無冤仇亦無惡感。因爲歐洲是我們的市場，所以我們就不應該臣屬於歐洲的任何一個國家……在歐洲，各王國林立，爭戰無已，祇要英國與任何一個國家開戰，北美都會因爲與英國的關係，而使自身的對歐貿易遭受打擊。」

同時，潘恩對於英國殖民地統治制度之腐化，行政效率之低劣，也一一加以抨斥。他說，「爲了一件事情，我們常常要跑上三四千哩，飄洋越海去請願，去陳情，然後等待四五個月才能得到批示。一旦有了回音，又需要再往返五六個回合才能解釋得明白。這簡直是荒唐透頂。」

因此，他大聲疾呼，英美間的關係猶如滔滔東流的逝水，再無挽回的可能。爲了加強北美人民的自信，潘恩提綱挈領地說明了北美本身的力量；他認爲，北美殖民地上已有足夠的人力、天然資源、與製造能力，尤其是製造戰船的能力。他甚至於說，「以我們的能力，不僅能與英國一戰而獲勝，而且可以與世界上任何敵對力量作戰。」當他說這話時，也許不免有些誇張過當；可是，到了二十世紀，兩次大戰都因美國的參戰而定勝負，最近二十年美國更領導自由世界阻遏了赤禍橫流。潘恩的預言，也不能說完全是無根之談了。

在這本小冊子的結論中，潘恩舉出四個有關外交上的因素，認爲獨立是適時的切要之舉。他說：第一、當北美臣屬於英國，則列強絕不願出面協調它們之間的歧見。第二、法國與西班牙是當時有力量援助北美的國家；但它們絕不可能援助北美而使得美英之間的關係加強，因爲那是違背它們自身利益的。換言之，如果北美宣佈獨立，對英開戰，法、西兩國是可能援助的。第三、如果不宣佈獨立而與英國作戰，則在外國人眼中便祇是叛亂而非革命，因而不能夠得到它們的同情。第四、如果北美能發表宣言，周告列國，宣佈與英國全面絕交的決心，並與各國締交及建立貿易關係，如此必能得到極有力的反響。

潘恩就用這種坦白直率、切合實際的話，就近取喻而規劃宏遠，宜其風行一時，而影響深遠。

開國諸賢群加讚許

《常識》對於美國大革命所發生的啓發作用，可以由當時的名流們的意見中看出來。譬如華盛頓本人就曾在致友人李德（Joseph Reed）的書信中，一再提及《常識》這本書，曾引起各方熱烈的討論，最後的結論是惟有脫離英國的羈絆，爲自救的惟一途徑。華盛頓在信中曾說，「最近接到由家鄉維吉尼亞州來的私人函件中，顯示《常識》這本小冊子造成許多人心理上驚人的轉變。」前文說過，華盛頓本人最初對於獨立舉義之事，是持相當保留態度的。潘恩的文章，恐怕對於這位美國國父後來起而統率大軍，與英政府周旋到底的堅決立場，也有莫大的關係。

後來亦曾出任美國總統的亞當斯（John Adams）曾寫信給他的妻子說，「我隨函寄上題爲《常識》的這本小冊子，提出議論頗爲周備。深信如（英國之）暴政壓制繼續不變；則此小冊子所提出之主張，必將迅即成爲北美人民之共同信念。」亞當斯夫人在讀完此書之後，回信給她的丈夫說：「《常識》猶如上蒼啓示之光，發表得恰得其時，將我們的疑慮一掃而空，並堅定了我們應抉擇的方向。」

富蘭克林認爲，此書「具有驚人龐大的影響。」德瑞敦（William H. Drayton）則更進一步指出，《常識》猶如一聲春雷，震動了大陸會議中的許多位代表。

更深刻的分析，來自楚維揚（Sir George Trevelyan）的名著《美國革命史》。在這本書中，他指出：「我們很難舉出有任何其他人的著作，能像《常識》一樣引起如此迅速的反應，而又能如此持之久遠的……此書曾被人盜印、改寫、模仿；而且在每一個對美國這個新興的共和國抱有好感的國家裡，此書都有了翻譯本。……根據當時各種報紙的記載，《常識》這本小書使得成千上萬本來認爲獨立論調荒唐無稽的人，都轉變了態度。此書簡直創造了一大奇蹟，使許多保皇派的托雷黨徒，轉變爲自由的輝格黨人。」

在《常識》出版後短短幾個月之內，十三州中大多數的州，都訓令其代表投票贊同獨立。馬里蘭州稍示遲疑，惟紐約州仍表反對。

從〈獨立宣言〉到《危機》

一七七六年七月四日，《常識》出版尚不到半年，大陸會議在費城獨立廳集會，通過了歷史性的文獻〈獨立宣言〉。七月四日這一天也就成了美國的國慶日。

〈獨立宣言〉雖非出自潘恩的手筆，但他當時與主要的起草人傑弗遜密切合作。在這篇皇皇文獻中，潘恩所提議的反奴役條款爲大會保留，除了這一點之外，潘恩的重要主張已完全融匯在〈獨立宣言〉之中。

世事無常，禍福難測。照理說，潘恩的高瞻遠矚，大才槃槃，在革命成功之後應有更好的建樹；但他的暮年歲月卻是出乎意料之外的悽慘。

在〈獨立宣言〉發表之後，潘恩投身軍旅，參加革命戰鬥的行列。同時發表了一系列題名爲《危機》（*The Crisis*）的小冊子，強調在此新興國家存亡絕續關頭，每一個人的靈魂都正受到嚴格的考驗。他這些小冊子，在美國建國初期，對促進各方的團結，振奮革命精神，確有偉大的貢獻。幾個月之後，國會中的代表更加認識了他作爲一個宣傳家的價值，遠較在軍中重要，於是任命他爲外交委員會的首長，也就是美國事實上的第一任國務卿。但在職未久，就因政見齟齬而被迫辭職，轉往賓州議會服務。一七八一年，潘恩奉派與勞倫斯（John Laurenis）赴法國請援；當時美國苦戰經年，財力拮据，到了羅掘俱窮的地步。同年，他獲得法方的援款與物資回到美國。

一七八三年，革命成功，潘恩不再出任公職，回頭來從事機械發明。他曾設計過第一座鋼的吊橋，並且做過蒸汽的試驗。爲了要與英法兩國的工程人員討論某些技術問題，他於一七八七年再往歐洲；不料這一去竟住了十五年之久。

他到達歐陸不久，法國大革命爆發。崇信民主制度的潘恩，當然衷心支持。他著書立說，爲法國的革命辯護聲援；爲了駁辯英國政治學者柏克（Edmund Burke）對革命的攻訐，潘恩寫了《人的權利》（*The Rights of Man*）。爲了此書中的議論，使他險些在英被捕，幸虧他先得風聲，潛往法國。

抵法之後，潘恩與革命諸領袖意氣相得，甚爲融洽。但後來他爲了要營救法王路易十六免於一死，竟與革命領袖中的激進派羅伯斯比等人意見相左。想不到後來激進派人士當權，主持法國政府，潘恩立遭逮捕，他所得到「法國榮譽公民」的榮銜也被褫奪，坐了十個月的監牢，險些兒被送上斷頭台。還是由於美國駐法大使門羅（後來當選總統）出面營救，倖免一死。潘恩獲釋後就住在門羅家中養病。

《理性時代》軒然大波

這一時期，他又完成了一部重要的著作《理性時代》（*The Age of Reason*）；這部書也被人稱爲「無神論者的聖經」。事實上，潘恩是一個自然教派的信徒，他相信惟一的上帝與來生。《理性時代》這本書中，雖然對於聖經中的《舊約》頗多批評，但其初意則是鑑於法國大革命時期「無神論」思潮橫決一時，他希望藉此書的討論挽救這一逆潮。可是，神學家與正統的教會團體，都紛紛譴責潘恩是一個危險的激進分子與無信仰的人。

一八〇二年，潘恩重履美國。這一次他並未像一個革命英雄那樣的受人歡迎，卻因《理性時代》以及其他激烈的政治言論，而受到政治領袖和宗教信徒們的極端冷落。潘恩住在紐約州的新羅契露，那個城市以他並非美國公民爲理由，不承認他有投票權。當時甚至有人曾試圖暗殺他。從他這次抵美之後，七年之間飽受各方的汙蔑、仇視、冷漠且又貧病交加。一八〇九年，這位對美國獨立大有貢獻的一代奇人，飲恨以終。他逝世之後，當地的清教徒公墓拒絕他的遺體在那兒下葬。潘恩的功過，直到近世才得平反。老羅斯福總統還曾指責他，「是一個猥褻渺小的無神論者。」甚至到了一九三三年，紐約市某一廣播電台要播出一項有關潘恩的節目，竟仍遭外力禁止。

一生志業終獲澄清

直到一九四五年，美國人民對於潘恩的觀感才逐漸澄清，並將他選入美國名人堂。這座相當於我們忠烈祠或先賢堂的建築，當時落成已經四十五年了。同一年，新羅契露城的民意代表們通過「恢復」這位革命英雄的公民權。潘恩泉下有知，當可因「是非終於大白」而無所憾恨了。

美國史學家們近年已逐漸獲得一致的意見，認爲潘恩對美國獨立革命的貢獻是極爲重大的。有些人更認爲，潘恩比其他任何人更有資格被稱爲「美國獨立運動的創始人」。他第一個使用「亞美利加合衆國」這個名詞，並且預言，「美國的目標，從重大方面言，也就是全人類的目標。」

要說明潘恩其人性格特點，最好的一個例子是他與富蘭克林的一段對話。

富蘭克林說：「何處有自由，何處便是我的祖國。」

潘恩則回答說：「我的祖國是在沒有自由的地方。」這正反映出他獻身爭取自由的決心。

其實，潘恩的偉大處，當他在生之時已爲明達之士所瞭解。傑克遜（後來也曾當選總統）說過：「托瑪斯·潘恩不需要用人類雙手所建造的紀念碑；他已建立了一座紀念碑，在所有愛好自由的人的心靈深處。」

無論後人對他的毀譽如何，托瑪斯·潘恩的《常識》，是造成美國獨立的一大力量；支筆掃千軍，英雄造時勢，不僅在當時具有無可衡量的重要性，就是在百世之後，此人此書也將隨著美國的歷史而傳諸久遠。

自由企業的守護神
亞當斯密及其《國富論》

時代背景與生平

在西洋史上，公元一七七六年可以看做是一個舊時代的結束和一個新時代的開始。美國大革命已經爆發；法國大革命時機也已成熟；由於蒸氣機的發明，工業革命正加速進行。有人說，在一七七六年以前的那一段，「乃是現代史上的黑暗時期。」

當時，英國已為歐洲列強之一，但其國民經濟生活幾全受到政府的控制，舉凡物價、工資、工時都由政府來規定，甚至生產作業也要根據政府命令行事，而非按照供需來調節。至於對外貿易，無論是出口或進口，更完全由官方一手掌握。英國政府如此作法，主要是因為戰禍頻仍，連年用兵，國策上不能不要求同時維持強大的陸軍與海軍，維持數量龐大的人口，同時要向全世界各地擴張其殖民地政策，並用種種手段削弱如法國等敵對的國家。國家度支，確甚緊張。所以，任何平均財富的建議，都遭受到英國統治階層的激烈反對。

在社會文化方面，不平等的現象極爲顯著。受教育是僅限於少數貴族豪門子弟的特權。至於英國人後來引以爲傲的政治權利，在當時仍止於是口頭上的理論而非見諸實際的行動。

到一七七六年爲止，在英國實際控制政權的都是擁有土地的貴族。不過，一個新興的強有力的工商階級已經開始抬頭，他們要求並亦逐漸取得若干特權。照這個新興集團的觀點，出口是大喜，進口是大難；金錢絕不容離開本國；政府應該設法永遠保持貿易的「出超」，以便在國際收支上永遠保有盈餘。他們要求，工資要低，工時要長，如此以保證成本低廉；進口稅要高，如此以保護本國產品在國內的市場；爲了進行海外貿易的競爭，強大的商船隊是必須的。總而言之，他們念念不忘的是發展產業，多多賺錢。他們認爲，凡是對工商業者有利的事，一定也是對整個英國有利的。國會在這般新興工商界種種壓力之下，逐漸將上述這些觀念，經過立法途徑將之引入國家的法令之中。

於是，在一七七六年有一部重要的書出版。這部書好像是一顆定時炸彈，當它最初出現時，並未引起人們的注意；直到其作者逝世之後約近百年，這部偉大著作的影響才達於極點。它不僅改變了英國的面貌，也影響了近代的政治經濟思想。

這部書的作者，即大名鼎鼎的亞當斯密（Adam Smith, 1723－1790），這部書的書名，我國學術界曾譯《原富》或《國富論》（*An Inquiry Into the Nature and Causes of the Wealth of Nations*）。

亞當斯密是蘇格蘭地方的人，自幼穎異好學；一七三七年，他年方十四歲，便獲准進入葛拉斯高大學（University of Glasgow），從名教授赫欽森（Francis Hutcheson）門下受教。赫欽森經年反覆申說，教誨諸生應以追求「最大多數人的最大幸福」爲職志；此一觀念就成爲亞當斯密畢生治學處世的基本哲學。

後來，他到牛津大學深造，潛心苦讀，歷時六年，博覽群籍，學殖益富。其後便在富丁堡大學講學。一七五一年，他應母校葛拉斯高大學之聘，先任邏輯學與形而上學講座，不久又任道德哲學講座。講學十二年間，他成爲該校最爲學生愛戴的老師，他並曾出版過一本暢銷書，《道德論》（*Theory of Moral Sentiments*）；據當時的人的看法，認爲《道德論》比《國富論》來得還要好，因而他在學術界聲望益隆。

一七六三年，有一位年輕的貴族，重金禮聘亞當斯密做他的導師，伴他前往歐洲大陸。亞當斯密覺得這樣可以換換環境，而且收入頗豐，乃即辭去教職，前往歐陸各國旅行了三年。他在這次旅行中，就便結識了各國重要的學界領袖、經濟學家、哲學家和政治思想家，其中尤以與法國方面的學人盤桓最久，切磋最深。

早在一七五九年，亞當斯密年方三十六歲時，他的筆記中已有《國富論》一書的初稿。

不過，自起草至完成，是一段十分漫長曲折的道路。他不斷讀書、研究、親歷考察，又與各式各樣的人物懇談，搜集材料，經過了無數次的修訂與補充，亞當斯密才將他這部盡半生心血之作付印出版。分爲上下兩冊的《國富論》於一七七六年三月九日那天正式出版，距作者草擬初稿時已經十七年了。此書在出版之後，又印行了無數版，並經譯成各種主要語文的版本，流傳世界各國。

自私的作用與分工

《國富論》一書內容所涉甚廣，並非僅以經濟財政爲限。有一位評論家曾稱此書爲「歐洲文明全史及其評傳」。書中曾討論到許許多多超乎財經政治的文化問題，其主要內容包括：貨幣的起源及其使用，商品的價格，工資，股票的利息，土地的地租，銀價，生產性勞力與非生產性勞力之區別等經濟問題。繼之便是討論自羅馬帝國衰亡以後歐洲經濟之發展。然後對於歐洲各國的商業政策與殖民政策，分別予以分析和評論；君主的財源，原始社會中各種不同的防衛體制與司法組織，歐洲國家常備軍的起源與成長，中古歐洲的教育史，以及亞當斯密對當時各大學的批評，教會權力的檢討，以及公債的增長等等。在結論中，他詳細檢討了租稅原則和國家財政制度。觀乎以上所舉的要目，稱之爲「歐洲文明全史」，確不能算過分誇張。

亞當斯密的基本觀念，也就是《國富論》主題之所在，與《君王論》作者馬基維利（Niccolo Machiavelli）的見解恰有暗合之處。亞當斯密認爲，每一個人行爲的動機，主要是在爲他自己求得利益，致富的慾望不過是其中之一端而已。自私的行動與誘因是人類一切行爲的幕後推動力。亞當斯密認爲，人類行爲由自私所鼓動，並不是甚麼值得反對或鄙棄的事；他相信，個人的自私可以有助於整個社會的福利。他說，如果能夠容許每一個人，「經常、一致、而無間斷地努力改善他自己的環境，」就可以使一個國家日益富足。他又舉例說，「我們能有飯吃，不是由於肉商、酒商、或麵包師傅的仁慈，而是由於他們要營謀他們自己的利益。我們與他們交易，不是想打動他們的善心，而是要說中他們自私的意圖；我們永不會向他們吐露我們自己的需要，而祇去談他們的好處。」這種一針見血的話，當時是頗受人指責的。

亞當斯密認爲，現代化工業建立，由於精密的分工與資本的累積。他對於這兩種現象，都用「自求利益」作爲解釋；很多十八世紀的哲學家們都把自私自利稱之爲「自然的秩序」。他們認爲在冥冥中有一「神聖的手」，引導著人爲自己的利益而工作，同時，他也就對人類全體都有了貢獻。照這種說法，則政府對經濟生活的干預是越少越好。

亞當斯密在《國富論》中，舉出製造針爲例來說明分工的好處。「……一個沒有受過專業訓練的工人，也不曉得如何運用機器……即使盡最大的努力，一天也未必能做得出一根針來。……」但是，經由分工的辦法，將整個製造程序「分別爲十八個階段，每一個階段都雇用技藝熟練的好手……我曾看到一家很小的工廠中，一共祇雇了十個工人，但每天可以生產四萬八千根針。」他指出，「這是由於正確的分工和將他們困難的作業適當編組起來的結果。」

亞當斯密說，人類的分工制度，在原始民族就已肇始。譬如在游獵部落中，必有人對於製造弓箭手藝特優。他可以用弓箭去與人交換各種獵獲物，而且他會發現，這樣交換來的東西比他自己去打獵得來的還要多。因此，爲了他自己的切身利害，他自然就要以製造弓箭爲他主要的工作。

另外他又舉了好多例子，如泥瓦匠、鐵匠、製皮革的工匠等等，都因爲他們自己生產的東西超過了自己的需要，可以用來與別人交換他需要的東西。因此，也就鼓勵人們各自尋找一個適當的職業；同時，由於專業化，他可以不斷改進技能，成爲那一行業中十全十美的專家。

對廣大勞工同情

其次，討論到貨幣與商品價格時，亞當斯密的原則，當時的正統經濟學家們紛紛指責，認爲是不正確的，但後世具有社會主義傾向的思想家們則多表接受。他說，「勞力是最後的、眞實的標準，所有商品的價值，在任何時間任何地點都可以依這個標準來估計，來比較。這就是它眞實的價格，貨幣則僅是其名義上的價格。」

亞當斯密一方面確認勞力的重要性，同時又指出在勞資雙方討價還價實力之不平衡。當時一般人流行的說法是，工資越低，則勞工便要工作得更多，因此可以增進英國的繁榮。亞當斯密指出這種說法之不當。他分析，在廠主方面當然工資越低越好。由於廠主都是有錢的人，縱令一年不開工，靠了股票和存款，也可無虞溫飽。勞工則不然，他們一旦失業，生活馬上就成問題，因此爲爭取工資而進行談判，勞工常常是吃虧的。

亞當斯密對於勞工表示同情。《國富論》中有一段話指出，正是這些收入微薄、地位低下的人們，在任何政治社會中都是人數最多的集團，「如果一個社會中大多數人都陷於貧窮不幸之中，則這個社會就難保繁榮安樂。」所以，公平對待勞工，不僅是一人道的問題，也是一政治經濟問題。「工資提高，就可以使一般人爲之勤勉樂業。……凡工資較高之處，則勞工必較積極進取。較之低工資地方的勞工要強得多。」

亞當斯密指責產業界中人往往說提高工資就會抬高物價，因而使貨品銷路減少。「可是，他們從來不提他們自己過高的利潤。」這當然是不合情理的。

學徒與定居法

在十八世紀的英國，國家法令對於勞工又有許多限制。譬如說，任何形式的勞工組織皆爲法律所不許，對於爭取勞工權益就是很大的障礙。較此更不合理的法令，還有「學徒法」與「定居法」，也都對勞工極爲不利。

有關學徒制度的法令，制頒於伊利沙白女王時期。據亞當斯密所說，這些法令規定，任何人如果要在英國從事工商技藝等行業，都必須至少先做七年的學徒。在此七年之中，廠主或店主僅供應最低的生活必需品。於是，他們便可藉此一法律剝削勞工，他們從勞工身上所得甚多，付出的代價甚少。而爲學徒者則不啻是訂了一個七年的賣身契。亞當斯密對這種制度痛加批評，他認爲七年的學徒之期毋乃太長，實無必要，「有很多行業手藝，只要花幾個禮拜就可以學會的。」而且在學徒的契約中，有很多條款也不合理，限制學徒擇業的自由，並且不准他由低工資之處轉往高工資之處就業。所以，他主張這種制度儘可廢除。

另一個同樣不合理的法令，即所謂「定居法」。亞當斯密說，「在英國，年在四十歲以上的窮人，生活中感到最殘酷的外來壓制，恐怕就是定居法了。」這定居法也是伊利沙白女王時代所訂立，立法的本意是爲了公正分配貧民救濟物資，法律上要求每一個教區都應自行照顧本區內不能自立的居民。同時，爲了阻止這些貧民人數的增加和異動，所以每一個教區都規定了新的住戶要遷移進來，必須要保證是有財產而能自立的。如此一來，便等於限制了貧民的遷徙權。在適用到勞工身上時，由於做工的人都是沒有恆產的人，所以因這個法律的影響，無異造成了一群新的囚犯，他們終其一生祇能在出生的城鎮裡做工。這使得勞工求上進、謀出路，都遭到不可克服的障礙。亞當斯密認爲這正是一個很好的例子，由於政府的不當干預，不僅妨害了個人的自由，也阻礙了整個國家的經濟發展。

勞工與土地改革

在《國富論》中，亞當斯密試圖區分「生產性」勞力與「非生產性」勞力的不同。他說，「大國之陷於貧困，都不是由於民間的浪費，而是由於公家的揮霍不當。在大多數國家中，財富之全部（或接近全部）都用於維持非生產性的人手。此即指人數衆多，窮奢極慾的王廷，或機構龐大的教會組織，或軍容壯盛的艦隊與陸軍。這些非生產性的人，平日無所事事，絲毫無所報稱他們所受的恩遇，甚至在戰時也不值那麼多。這些人自己不治生產，完全是依賴別人的勞力生產而活。……由於他們的糜耗，到後來可能使得生產性的勞工難以維生……。」

同時，亞當斯密對於使用奴工也提出警告說，「根據古往今來舉世列國的經驗，都證明了用奴隸作工一事，表面上看起來似乎祇需要供養他們飲食就夠了，但算到最後卻是最爲昂貴的。凡一個人若不能購置財產，則除了自求果腹之外，不會有任何其他興趣，做起工來，也就愈少愈好。一個奴隸在賺了他勉能維持最低生活的錢之後，若是還想要他繼續做工的話，那就惟有使用暴力而絕不是出於他自己的興趣了。」

如何順應每一個人生產的興趣與欲望，是非常重要的事。

由勞工問題，亞當斯密繼而討論實行土地改革。對此一問題，他也認爲政府不明智的干預和過時的法令阻礙了進步。在十八世紀的英國，大部分土地都受到「限定繼承人」法令的限制。一個地主可以預先規定，有關他的土地將來如何繼承，如何分配，以及萬一出售時應如何辦理等等規則。有時他所立的規矩在他去世之後幾十年幾百年還在奉行不渝。另外一個古老的風習，是所謂「長子繼承權」（Primogeniture），這是由封建時期相沿下來的辦法，爲防止地產的分割，惟有長子才有權繼承。亞當斯密認爲這種辦法，使一人口衆多的家庭中，「富了一個人，使其他的兒孫無立錐之地，實在違反整個家族的利益。」所以，他建議准許土地自由買賣，廢除一切妨礙土地買賣的法令，如此以使地盡其利。

反對殖民地政策

《國富論》中有一章專談殖民地問題，極爲有名。有一位政治學者認爲，「至今仍是有關殖民地政策最好的文章。」這一章分爲三部分：

第一、討論建立新殖民地的動機；作者檢討了希臘、羅馬、威尼斯、葡萄牙，與西班牙史乘中的實例。

第二、討論新殖民地趨於繁榮的因素，其中包括豐饒而廉價的土地，工資的增高，人口的迅速成長，以及殖民者對於農事工藝等各方面的知識與技巧，與土著的勞力結合，便成爲有利的開發資本。於此，作者並比較了各國的殖民政策，他認爲英國的比較開明的辦法，遠勝於葡萄牙與西班牙嚴酷的作法。

第三、討論了「發現美洲」與經由好望角前往東印度群島的「新航路」這兩件事對歐洲各國的利益。他說，這兩件事乃是人類有史以來「最偉大最重要的事件。」

亞當斯密是主張自由企業的，所以，他對於殖民國家要在殖民地上造成經濟獨佔，表示反對。他說，那是違反了殖民地的「自然權利」。在殖民地採行「重商主義」，在他看來，對於殖民地及其統治國雙方都是有害無益。

亞當斯密雖然是英國人，但他對於美國爲獨立而起事，抱著比較客觀的態度。他認爲，解決爭執的正途，應該是讓北美人民選舉議員出席英國國會，換言之，應該聯合而非分裂。議員選舉應以納稅的負擔爲基礎。一旦美洲人民納稅的數字超過英國本土，則首都便應該由倫敦遷往大西洋對岸北美大陸上去。當時北美民衆有一種情緒，曾由潘恩在他所著的《常識》中反映出來，「讓一個大洲被一個小島統治著，似乎有點荒謬。」照亞當斯密的建議，祇要大洲的付稅能力眞能超過小島，它就可以統治全國了。

如果英美雙方的爭執無可挽回，亞當斯密主張英國應即同意其北美殖民地獨立自主；雖然他也很瞭解，讓英國放棄一切權力，同意美洲人民能有權力「自行選任官吏，自行制訂法律，任免官吏，宣戰媾和，」是不可想像之事。所以，後來北美獨立還是打出來的天下。亞當斯密當時便曾預言，北美殖民地上那些「鞋匠、小生意人、小書吏、都將成爲政治家和立法者，建立起一套新的政府組織……終且成爲世界上最偉大、最不可輕侮的國家之一。」

力主不干涉主義

《國富論》最重要的部分，是卷四〈論政治經濟制度〉。作者討論了兩種制度，一是商業制度，一是農業制度。不過討論商業制度者遠爲詳盡，所用篇幅比農業制度要多出八倍。就在這一段議論中，他楬櫫了與他的姓名同垂不朽的「不干涉主義」（laissez-faire）。他所發表有關勞力、土地、商品、貨幣、價格、農業、股票、捐稅等的意見，至此，都集中於對內對外的自由貿易。他強調惟有使對內對外的商業不受任何限制，方能使一個國家得到充分的發展與繁榮。他大聲疾呼，主張廢棄關稅、保護稅，以及各商業國家對外來產品的禁令。他也反對若干專業公司的獨佔壟斷，他認爲這些都有害於工業的自然生長與商品的自由交流。

亞當斯密力斥所謂「貿易平衡」的重要性。他說，貨幣僅是一種工具，「當任何兩個國家之間發生貿易關係時，我們實在沒有特定的標準，去決定究竟哪一個國家獲致了貿易平衡……或哪一個國家的進口具有最大的價值……財富並不包含在貨幣之中，亦並非在金銀之中。財富是在於貨幣所能購買到的，其價值所在是其購買力。」最後這兩句話，是亞當斯密的名言。

亞當斯密又主張，國家與國家之間像個人與個人之間一樣，也應該分工。「譬如，一個國家由於天然的便利，能生產某一種特殊的產品，爲全世界所公認是無人能和它競爭的。」他舉出他的家鄉蘇格蘭爲例，蘇格蘭可以種葡萄，也可以釀酒，但蘇格蘭葡萄酒如果要釀得與外國酒同樣好的話，成本要比外國的酒至少貴三十倍。他問，「如此，蘇格蘭若是決定自己釀酒，而禁止一切外國酒的進口，是否合理呢？」

亞當斯密又說，一個謹愼精明的當家人，對於家用所需之物，如果買來便宜的話，他就絕不會自己去做。他認爲，這個道理也可以適用於治國之道，「如果外國產品比我們自己製造的便宜，我們最好是買他們的；用我們自己的工業產品去和他交易，如此對我們還是有利的。」

關於國際貿易可使交易雙方同獲其利這一點，亞當斯密說得頗爲深切著明。他說，「凡是國際貿易進行之處，皆可獲得兩種顯著的利益。一是使國內本不需要的剩餘產品與勞力，都能在國外找到市場；一是輸出的產品與勞力，可以交換回來切合國內需要的產品……因此，儘管國內市場狹小，仍不妨礙任何一種產業的精密分工，以使其產品精益求精，盡善盡美。在國內市場打開之後，由於國外需要可能超過國內的消費量，就可以鼓勵業者增加其生產力，並使其年度產量發揮至極限；因此可以使社會眞正的財富增加。」這種意見，目前已經成爲大家都很容易想得通的常識；但在亞當斯密的時代，這是了不起的創見。

亞當斯密雖然極力倡導自由貿易，但他也同意在某些特殊條件之下，自由貿易應該受到限制。他指出，爲了鼓勵國內的工業，使外國產品增加一點負擔，對本國是有利的。這也正是今之所謂保護關稅。另外一個必須考慮的，便是與國防有關的項目。亞當斯密說，有時縱或在經濟觀點上看完全是不利的，但爲了國防的原因也必須限制貿易自由，「國防遠比發財重要。」

亞當斯密又指出，在和平時期與那些大國交易，是有利可圖的；但一到戰爭發生時，這些大國也可能馬上就變成了危險的敵人。所以，即使在平時交易，也不能完全不考慮到一旦有變友爲敵的可能性。

用保護稅來保護國內的新生工業，亞當斯密認爲是有必要的。但就長遠的目標來說，他是贊成自由貿易的。不過，他也表示減免關稅之舉，「必須採取緩慢的、漸進的方式，且應在實施之前儘早提出警告，」以便保護國內的資本家，勿再投資到不能與舶來品競爭的工業中去，同時也可以使工人有充分時間另謀就業的機會。這些主張正是爲了堵塞那些反對自由貿易者之口，預先對於若干有問題的地方提出對策來。

政府的主要職責

有人問，如果一國政府眞照亞當斯密的建議去做，對於農業、工業、商業，乃至大部分有關公衆的事都袖手不管，究竟政府應該做些甚麼事才算適當而盡責？

亞當斯密對於政府職責的規劃，具體而狹隘。他認爲，政府主要的任務，在於對外抵禦敵國，對內執行司法；政府的另外一個重要的職責，是「創建並經營某些公共工程；這類工程的經營利潤極低，甚至永遠不足以償還其原始資金，所以不可能由私人經營。」這也就是我們現在稱之爲「公用事業」的各種設施。亞當斯密當時曾列舉出來，如公路、城市中的街燈、和水的供應，是應該由政府去負責的。

亞當斯密對於政界中人，頗爲輕視。他曾說，「那種陰險狡詐的動作，被人們誤稱爲政治學家或政客的動物，除了維持外部的和平與內部的秩序之外，實在沒有存在的必要。」他之所以持如此的看法，倒不是輕視官吏或政治家的人格，而乃是由於他主張「政府越少干預越好」之後必然的推論。

教育的重要

儘管如此，亞當斯密卻曾提出另外一大要政，力主政府應該主持推進，那便是國民教育。亞當斯密對教育的重視，以及他所提出來的具體建議，不但在當時是極有遠見，就是到今天也仍然是相當正確的。

亞當斯密說，「一個人如不正當地使用其智力，實較一個懦夫尤爲可鄙；其性格所受之斲傷，甚於四體殘缺。」亞當斯密認爲，教育低等民衆，國家雖得不到甚麼直接的好處，但仍比讓這些民衆無知無識，從不受教育要好得多。他指出，民衆受的教育越多，就越不喜聽從謊言，不會盲從迷信；在落後國家，謊言迷信往往是造成混亂的重要原因。此外，受過教育智育開化的民衆，常常比那些無知愚民更有自尊心，更守法重紀。他們覺得自己是應該受人尊重的；同時，他們也樂於對合法的上級表示敬意。……在自由國家，政府的安定有賴於有利的輿論，所以公衆教育程度越高，受教育者越普及，越能有公正判斷的能力。所以，政府對於教育的輔導推動，實不可稍有疏失。

代表自由派思想

綜合以上種種，可知《國富論》的梗概。對於這樣一本規模宏遠的巨著，要加以公正的評價殊非易事。兩百年來，對此書及作者表示頌揚謳歌者不知凡幾。像歷史學家巴柯魯（Henry Thomas Buckle）在所著的《文明史》一書中說，「無論就書中所包含的獨創見解而言或就其實際影響而言，《國富論》一書都可能是人類所寫的書籍之中最重要的一本。」

有一位名批評家洛納（Max Lerner），他對亞當斯密的見解頗有不同的看法，但他也承認，「在促成我們現代生活方式的許多因素之中，國富論這本書所發生的影響，可與任何一本現代典籍媲美。」洛納認爲，閱讀此書心悅誠服的，就是當時新興的企業界人士，以及與他們見解一致的政界和學界人物。經過他們的傳述和實踐，《國富論》中的見解，都引用到實際的政經決策之中，影響自然極爲龐大。

英國最著名的經濟學家之一馬利奧特（J.A.R. Marriott）說，「在英文著作之中，恐怕沒有任何一本書能比得上《國富論》這樣，在出版的當時便在經濟思想與行政措施兩方面，都產生了深刻的影響。這本書至今仍爲學林瓌寶，確非倖致。」

英國文學界人士，嘗標舉文學作品的最高境界，應是「沈靜地觀察人生，而且要觀察人生的全體。」有位經濟學家斯各特（W.R. Scott）借用這話來讚美亞當斯密說，「他眞是不世出的傑才，能沉靜地觀察經濟生活，而且觀察其全體。」

在學術界有一個有關亞當斯密的老問題，好像雞生蛋，蛋生雞一樣難以解決。有人問，如果亞當斯密不曾寫過《國富論》這本書，則後來工商業的發展是否也仍會照他的理論發展起來？反過來說，是否由於《國富論》這本書出版後，爲工商業發展的新潮流提供了基本的哲學和實際的行動計畫，使得後來的經濟發生了空前的巨變？學者們認爲，眞實情況應該是在上述兩種說法之間。《國富論》與經濟發展，可比做英雄造了時勢，時勢也造了英雄。

亞當斯密恰巧生在一個最適當的時代——是在兩個歷史時期的分水嶺之處，他代表當時的經濟自由主義派發言，世人傾聽他的教言，並由之而激起了經濟生活上大幅度的變革。在工業革命進行中，英國的企業界人士充分認識了亞當斯密學說的正確性與重要性，乃盡力尊奉他的建議，力破一切人爲的樊籬。在十九世紀的百年間，使英國發展成爲全世界最富有的國家。社會科學通常是不能實驗的，但英國飛躍的繁榮，卻證明了亞當斯密及其《國富論》的正確性。英國之外，列強諸國亦無不受到亞當斯密學說的影響。所以，世人尊之爲「現代經濟學之父」，又尊奉他爲「自由企業的守護神」，的確可以當之無愧。

儘管人類的經濟生活在兩百年間變化極大，亞當斯密當日的學說，今天看來完全是老生常談，而且有些部分已經落伍，但無論如何他在經濟學說中開疆拓土，創建規模的功勳，是值得我們敬佩景仰的。

「食之者衆・生之者寡」
馬爾薩斯及其《人口論》

政治是管理衆人之事，而人口問題可以說是「衆人之事」的本源。一個國家以人口、土地、與主權爲基本要素，對於人口問題如果缺乏健全而長遠的政策，則環繞著人口問題發生的其他民生問題，必定難獲圓滿的解決。

近代人討論人口問題，馬爾薩斯的《人口論》是最重要的一本著作。

在十八世紀的末葉，西方學者中有不少人都具有幻想「烏托邦」出現的傾向。理想主義者的理論，以及美、法兩國大革命的成功，引起一般人的幻覺，認爲人眞是十全十美，無所不能的；因此，由人來建立地上樂園，乃是旦夕可成的事情。

在這些「樂觀人士」之中，最出名的有兩位；一是英國的顧德溫（William Godwin），一是法國的康多謝（Marquis de Condorcet）。顧德溫在他所著的《政治正義論》中，把他對即將實現的理想世界的期待寫得很清楚。他相信，將來有一天，「人生是如此充實，我們都無需睡眠；生命是如此豐足，我們都無需死亡。人們對婚姻的需要可以由追求知識來代替。」簡言之，人簡直無異於神話中的天使。他認爲，「其他的進步，將伴隨著人類的健長壽而俱來。」照他的說法，世間將再無戰爭，再無犯罪，不再需要有所謂司法機構，當然也不需要有政府。此外，人間將永絕疾病災難，再無煩惱憂傷。每一個人都可以盡情去追求快樂，享受人生。

至於地球上人口太多，食糧太少的問題，顧德溫認爲不必擔心。他說，今後千秋萬代，雖然人口生生不息，地球上還是會有足夠的食糧，供應普世的人民。不過，他卻又認爲人類可能抑止性方面的熱情。關於這一點，康多謝則建議結婚無妨結婚，生育率則可以降低。

這種過分主觀的想法，自然會招致批評。當時有一位年輕的牧師，針對他們兩人的幻想痛加駁斥，這個人即後來大名鼎鼎的馬爾薩斯（Thomas Robert Malthus）。

當時，馬爾薩斯年僅三十二歲，是劍橋大學耶穌學院的研究生。他對於這些夢想主義者的答覆，即一七九八年所發表的《人口論》（*An Essay on the Principle of Population*），後來成爲政治經濟學中的經典之作。

馬爾薩斯是丹尼爾·馬爾薩斯的次子。他父親是一個家道小康的鄉間仕紳，而樂與學人文士交往。老馬爾薩斯是法國名哲學家盧騷的摯友，且受託代管盧騷的地產。馬氏父子都喜歡辯論。父親對於顧德溫的理論衷心佩服，兒子卻堅決反對。後來，在父親的敦促之下，馬爾薩斯才決心把他的意見寫了出來。這本書對於人類的思想與行為，發生深刻的影響，百餘年間，始終不衰。目前，由於全世界都感受著「人口爆炸」的壓力，這本書就更值得重視。

兩大基本的假設

在《人口論》出版之前二十二年，亞當斯密發表了《國富論》，探討財富的性質與成因；馬爾薩斯的《人口論》與此相反，也可以說相輔相成，他所分析的是貧窮的性質與成因。《人口論》最早一版（一七九八年那一版），作者並未署名，全文祇有五萬字，但題目甚長，「人口理論對未來社會進步之影響，兼論顧德溫先生、康多謝先生及其他作家之觀點。」因為全書字數無多，所以版本不大，應市冊數極少，如今已成為珍本。《人口論》的主題並非新穎獨創，因為十八世紀後期的學者，討論人口問題，發表類似意見者已有數人。但是沒有一個人像馬爾薩斯的議論這樣堅強有力，分析深刻。

馬爾薩斯的《人口論》，主要根據兩大基本假設：

第一、人要生存，就需要食物；第二、異性相吸是必須的，目前如此，將來亦然。

所以，即使最樂觀的烏托邦主義者也無法想像人類可以完全「不食煙火，禁欲絕情。」

馬爾薩斯接著說，「顧德溫先生卻竟一廂情願地認為兩性之間的事可以消滅……關於人類完美化的構想，是由於看到人類自野蠻狀態演進到現在的種種重大進步推論而來……但是，要消滅男女間情愛之事的想法，至今並無任何進步。性之一事，兩千年乃至四千年前存在，目前仍然如此，而且是同樣有力的存在。」

「食色性也」，馬爾薩斯這兩點假定是駁不倒的。於是，他由此而引伸出來他有名的原則：

人口的力量永遠大於地球上收穫食糧供養人類的生產力。人口如不加節制，將按幾何級數增加。食糧則祇是按算術級數增加。任何人祇要對數學稍有瞭解，就看得出來第一種力量遠比第二種力量強大得多。

把這種道理再加推闡，馬爾薩斯指出，動植物的後裔和種籽，由大自然信手散佈。大自然爲它們安排了生存的空間與營養來源。動植物是在自然供應之下生存，在自然限制之下衰亡。人類也同樣不能逃避這種法則。動植物如遭到自然界資源不足時，則他們所得的結局，無非是種籽或品種的逐漸衰亡。而在人類則更將造成不幸與罪惡。

這一冷酷而眞確的事實，使得那些主張社會理想化、完美化的人們，面臨著一個無可解決的難局。大家想不出可能的辦法能完全解除自然法則加於人類的壓力。若要使人類社會中的每一成員，都能生活在安樂幸福之境，能有充分的休閒，而且永遠不必爲他自己以及其家庭謀求生活資源而發愁，實在是困難重重。

按幾何級數增加

馬爾薩斯爲了證明人口是按照幾何級數增加的道理，特別舉出美國爲例。美國天然資源極爲豐富，人民生活方式比較純淨（這當然是指十八世紀與西歐各國的情形比較而言），所以，用人爲方法節制生育之事甚少。馬爾薩斯列舉美國歷年人口增加的速度，在二十五年之間增加了整整一倍；而這還不包括由國外入境的移民在內。因此，他由這一證據推演出來的結論是，任何國家的人口，如無任何人爲的節制，不受天然資源不足的壓力，其增加率大概都是在二十五年至三十年間增加一倍。關於這一點，有些批評家認爲馬爾薩斯所選那一段時間的情況，發生在美國歷史上非定型的時期，不能作爲確據。

馬爾薩斯把他的人口自然增加率適用到英國的情況之後，他的結論說，「即使採取最好的政策，開發更多的土地，盡其全力以鼓勵農業生產，英國的糧產可能在第一個二十五年期間增加一倍。」但問題是在第一個二十五年之後，糧產無論如何無法再繼續增加一倍。馬爾薩斯用數字來表現這兩種差別。人口按一、二、四、八、十六、三十二、六十四的等比級數而繁衍；而食糧則按一、二、三、四、五、六、七的等差級數增加。

馬爾薩斯認爲人口的增加率必然要受到自然的節制；而自然對人類最嚴重的一種節制方式，便是食物的缺乏。此外，還有多種因素足以造成節制人口的後果，譬如，有害健康的職業、過度的勞動、極端貧窮、疾病、嬰兒營養不良、瘟疫、饑饉、以及不衛生的大城市生活，馬爾薩斯把這些現象歸納爲「積極因素」。另外還有一些原因，如基於道德考慮的自制，以及因惡行敗德而不能生育等，則歸納爲「防阻性因素」。

馬爾薩斯依據以上的理論，提出他對於人口問題的建議。他認爲，人們如果要享受其最大可能的幸福，他就必須要注意，應在自己有能力供養家庭之時，才可以娶妻育子，宜室宜家；否則就應該保持獨身。

同時，他又主張，國家制定法律時，譬如救濟貧民法等法令，就應注意避免鼓勵那些無力養活兒女的人們大量生育。生了孩子如果養不起，而把問題留給國家和社會，馬爾薩斯認爲是不合情理的。

因此，馬爾薩斯不贊成民間或政府機構對貧苦人民施捨救助；因爲，這些施捨的動機雖好，卻並未能增加糧食的總量。其結果足以使物價上揚，物資短絀。他更不贊成公共住宅的計畫，因爲定價低廉甚至免費的平民住宅，足以刺激早婚，間接助長了人口增加的速度。較高的工資也將有類似的不良後果。面對這種種問題，馬爾薩斯認爲打破難局的途徑祇有一條，那就是晚婚，而且要加以「道德性的自制」，更坦白的說，就是節欲。

在馬爾薩斯看來，任何改良社會的計畫，雖然構成的精神是在拯世救人，其結果則往往使社會的病態更爲嚴重。馬爾薩斯這種反社會的冷酷態度，使得他受到當時以及後世人道主義者的責難。不過，他的論調卻爲當時英國那些有權有錢的上流人士所歡迎。因爲，有了他這一套說法，社會上存在的貧富失調以及其他種種病態，不必再責難財富分配不均，而可以「歸咎」於早婚和生育過多。

反對消極的救濟

在《人口論》中，馬爾薩斯曾用下面的話，來指責政府的各種救濟計畫。他說：

「英國種種不良的法律，從兩方面使貧民的一般情況更爲惡化。第一、這些法律顯然趨向鼓勵人口增加，但卻沒有增加糧食去供應這些人口。一個貧苦的人，可能在很缺乏甚至全然無力供養家庭的時候結了婚。因此，可以說那些法律雖然救助了一些貧民，但同時又製造了新的貧民。而且由於人口增加，糧產分配到每一個人的數量，自較原有的數量更少；那些沒有受到救濟的苦力們，用他的收入所能買到的食物也比從前少，因此就使其中若干人不得不被迫請求各種救濟。第二、把糧食消費在貧民救濟院裡——一般認爲救濟院並非社會上最有價值的一部分，因而把本屬於其他更有價值的人們的那一份糧食吃光了；這樣一來，就使社會上依賴救助維生的人更爲增加。」

在《人口論》最後的一段，馬爾薩斯將他的全盤理論做一總結。他指出，如果其他條件都不變的話，一個國家人口的多寡，將取決於這個國家所能生產以及所能取得的糧食數量。

而其國民的幸福則取決於每一個人糧食分配的數量，或每天勞動所得代價能夠購買之糧食的數量。生產穀物的國家，要比畜牧國家人口多；生產稻米的國家，又比生產穀物的國家人口多。這些國家中國民之是否幸福，並不在於人口的多寡、貧富、年輕或年老，而在於其人口與糧食之間的比率。

《人口論》引起了各方如潮般的批評與責難。這些批評主要來自兩種人，一種是神學界的保守派，另一種是社會改革派的激進分子。在馬爾薩斯的書出版後三十年間，他成了當時最受指責醜詆的人物，他的意見幾乎被視爲和「替天花、奴役、屠殺嬰孩者辯護」同樣的可惡。尤其因爲他反對政府及民間的慈善活動，「最好的措施卻招致最壞的後果」，這句話更招致各方的不滿；有人批評他「把人生中有感情的部分都拿走了，」餘下來的便祇有冷酷、刻毒。

也有些人認爲他的理論根本沒有什麼新意，所以不值一談。海茲利特（William Hazlitt）與柯立芝（Samuel Taylor Coleridge）都曾表示過這種看法。「食之者衆，生之者寡」，一定造成貧窮，貧窮也就一定引起罪惡。他們認爲馬爾薩斯不過是把大家久已周知的事實再加以鋪陳而已，因此不值得重視。

別的一些評論者對他的攻擊更爲猛烈。英國當時社會主義分子的領袖湯普森（William Thompson），曾斥責馬爾薩斯不僅是「侮辱了人類中受苦受難的大多數」，而且，要想使這些人「連蕃薯都沒得吃」，「連孩子也不許生育」，認爲這是道德上和生理上都不可能做到的事。所以，他說，《人口論》是充滿了露骨的謊言。

另外一個有名的反對者是柯拜特（William Cobbett），他辱罵馬爾薩斯是「愚蠢無知」。在他的文集中，曾留下一段他與一個年輕農民的對話，寫得甚爲生動。他爲馬爾薩斯起了一個「小牧師」的綽號，也因這一段記載而流傳開來。柯拜特的記載如下：

「你到底希望有多少兒女？」我問。

「我不在乎生多少兒女，」那農夫說，「上帝從來不會只送一張嘴巴而不送飯來的。」

「你有沒有聽到過有一位叫馬爾薩斯的小牧師？」我問。

「沒聽說過。」

「如果他聽到你講的話，他一定會暴跳如雷！因爲他正要請求國會通過法律，不准窮人們結婚，不准他們生太多的孩子。」

「眞是畜生，」農人的妻子叫了起來。那丈夫卻祇是笑，他以爲我是在和他開玩笑。

柯拜特的用意很明顯，他在「反映」一般人的看法，馬爾薩斯的理論，充其量祇是開玩笑而已。

比較嚴肅的批評者，指出《人口論》中的一大弱點，那便是「它與上帝造人的恩澤仁心背道而馳」，因而，他的書是「違反宗教」的；在當時，對於一個身爲牧師的人，這是足以使他無可辯解的「罪名」。所以，馬爾薩斯在《人口論》第二版出版時，曾將內容加以修訂，特別強調「道德的自制」，藉此以達到節制人口，消滅犯罪的目的。

為追求人類福祉

一九三五年，各國學術界曾舉行各種活動，紀念馬爾薩斯逝世一百週年。馬爾薩斯的傳記作者彭納（James Bonar）曾為馬爾薩斯的理論起而辯護。他相信，《人口論》過去被人們誤會、曲解、或誤加引述。照他的看法，馬爾薩斯對於解決人口問題的方法，是積極的而非消極的。他認為，馬爾薩斯內心確是為求人類的福祉。馬爾薩斯所期望的是：

一、使人類的死亡率能夠普遍降低。

二、使人類尤其是貧苦大衆的生活標準，能獲得提高。

三、使童稚夭折的慘況完全消滅；他認為那是生命的浪費。

馬爾薩斯早已看出，任何國家越是文明開化，教育普及，生活水準提高，就越會採取措施，防止人口生殖率的迅速增加。因此，他對人類社會的未來是樂觀的。馬爾薩斯曾觀察英國社會的實況說，「在各階層之間，節制人口已相當普及。」他把人分為若干社會階級，如士紳、商人、農人、工人、僕役等。這些人由於不同的經濟環境，享有不同的社會地位。人們為保持其原有的社會地位，所以要衡量自己的經濟能力，避免早婚，以免子女過多，家庭負擔過重，而影響了其原有的身分。

馬爾薩斯的著作，在當時就引起了各方的注意，其具體影響之一，是英國政府於一八〇一年舉行了一次全國人口普查；這是自西班牙無敵艦隊於一五八八年對英作戰之後的第一次。同時，英國政府修訂了原有的「貧民救濟法」，將馬爾薩斯所指出的若干缺點都加以改正。

馬爾薩斯的學說，對自然科學方面的影響，與對社會科學同樣的重大。達爾文（Charles Darwin）和華萊士（Alfred Russei Wallace）都承認，他們在完成「物競天擇」的理論時，得益於《人口論》的啓發。達爾文曾寫道：

「一八三八年十月，在我開始有系統的調查工作之後十五個月，我偶然爲了消遣，讀到馬爾薩斯的《人口論》，由於我長期觀察動植物的結果，使我對於『生存競爭』（這個名詞正是馬爾薩斯所用的）的理論深爲敬佩。而且，此書使我頓時悟解到在競爭的環境之下，物種的某些有利變化可以使其繁衍，某些不利的變化則可以使其絕滅。這樣演變的結果，將有新的物種出現。由此我才終於找到了我可以全力研究的理論。」

華萊士也曾記載其對《人口論》的評價：

「此書是我所讀到討論哲學的生物學問題的第一本書。書中主要的理論，成爲我畢生拜服的精神資產。二十年之後，它給予我極有遠見的指示，使我在研究有機物進化方面得到了有力的線索。」

雖然《人口論》一七九八年的那一版，曾引起宗教界與激進分子的抨擊，馬爾薩斯本人不但不爲所動，而且對於他所研究的這個題目興趣更爲濃厚，決心繼續作深入的研究。因此，他於一七九九年旅行歐陸，包括瑞典、挪威、芬蘭及俄國的一部分，去搜集有關資料。當時一個英國人所能到達的地方就限於這幾個國家。一八〇二年，英法之間有短暫的和平，於是他到了法國和瑞士。在此期間，他寫了一本小書《當前糧價偏高原因之調查》。他的觀點是，糧食的售價與利潤，主要是決定於他所說的「有效需要」。

《人口論》第一版出版時，不過五萬餘言；五年之後，馬爾薩斯出版了增訂甚多的第二版，擴充爲四開本六百一十頁。這第二版文體不及第一版的生動，語氣也不再那麼主觀，而成爲一種學術性的經濟學專著，引述文獻極豐，註解頗詳。但除了強調「道德的自制」一點之外，其基本理論較第一版並無改變。當馬爾薩斯在生之年，《人口論》增訂了五次。其第五版裝訂爲三冊，成爲足足一千頁的輝煌巨著。

馬爾薩斯幾乎是以他生平全部精力，致力於《人口論》的修訂與擴充。除此書外，他還寫過一本《實用經濟學原理》，一八二〇年出版。

馬爾薩斯個人的生活，一直相當平靜。少壯時期，他專注於經濟學方面的研究與寫作。到一八〇四年他三十八歲方始結婚。次年，他應聘出任設在海雷堡一家新成立的學院的教授，主講現代史與經濟學。那家學院是為教育英國東印度公司的人員而設。當時的東印度公司，事實上是英國經營亞洲各殖民地的政治機構。馬爾薩斯所開的政治經濟學，是英國各大學最先有這門課程的講座之一。他在那兒任教達三十年，直到一八三四年逝世時為止。傳道解惑，作育人才，頗有成就。他共生有兒女三人，有一兒一女成人。

對人類未來挑戰

由馬爾薩斯所引起的論戰，迄未休止；贊成與反對之間的辯論，一直到今天仍可見到。讚美他的人，說他的主張是「對人類未來的挑戰」，是「生存之道」；反對他的人則強調人類不需要害怕饑饉。

究竟馬爾薩斯的理論在現代的社會中有甚麼意義和影響，值得我們研討。

關於人口問題，自十九世紀中葉開始，世界各國的人都逐漸有採用避孕技術的趨勢，除了有些人根本不知道有避孕一說，以及某些人因宗教信仰不能採用之外，計畫生育是一自然的發展。這種節制人口的運動，被人稱之為「新馬爾薩斯主義」、「生育控制」、或「計畫家庭」；無論名稱為何，已被學術界稱為現代世界有關人口問題中最重要的運動。

不過，馬爾薩斯本人卻並不贊成避孕，而且曾指責避孕之不當；這當然是由於他的時代背景。當時不僅醫藥不及今日發達，一般人在觀念上也還未能適應，避孕被人認為是「錯誤、離奇、而又違反自然的事。」但是，到了近代，避孕已經成爲節制人口最重要最可靠的方法之一。

當《人口論》問世之時（一八〇〇年左右），全世界人口估計不過十億。但到約一百七十年之後，人口增加到三十五億。（進入二十一世紀，更將超過五十五億）。社會學者稱之爲「人口爆炸」；人口的壓力，乃是世界政治動亂不安，長遠和平無法奠立的基本原因之一，學者們都呼籲，如果人口問題不能妥善解決，則世界潛在的危機便永遠無法消弭。

不過，近世人口的增加並非完全由於生育率的提高，而是由於人類的壽命顯著增長；如美歐國家，國民平均年齡都能達到六七十歲之間；醫藥發達，衛生狀況良好，營養豐富，再加以社會福利政策的推進，延長了人們的壽限，因而使世界人口總數激增。

同時，自工業革命之後，使科學技術發達的國家生產力提高，各種製造品的種類、品質和數量都隨之激增。用工業製品交換食糧與原料，使這些工業國家不必憂慮食糧缺乏。此外，更由於交通發達，運輸工具進步，使空間距離相對縮短，各種食糧的轉運大爲方便。如美國與加拿大，每年都有大量的糧食穀物出口，去支持食糧不足的國家和地區。農業生產技術的改進也頗爲驚人。像美國的農民，由於大量採取機械耕作，改良品種，和高度有效的化學肥料與藥品等，使得每一個農民每年生產的糧食，足可以供養三十五個人。這種種現象，是馬爾薩斯時代無法想像的。所以，在今日的工業國家，馬爾薩斯的《人口論》似乎成了杞人憂天之論。人口與食糧生產力的比率，並不再如一八〇〇年設想的那樣嚴重。

不過，直到今天，眞正能成爲工業化的和糧食自給自足的國家，畢竟仍屬少數，在亞洲、在非洲、在中東、在中南美，糧產不足仍是一個極嚴重的問題。在這些地區，因醫藥衛生進步而得救的生命，往往又因貧窮饑饉而不免於死亡。

與此種情況恰恰相反的，是某些歐洲國家的人口漸呈穩定甚至相對減少，最顯著的是法國、瑞典、冰島、奧地利、英國與愛爾蘭。人口的穩定，主要由於節制生育而使出生率降低，使平均壽命延長，因此在總人口中兒童與少年所佔的比例相對降低。

知識分子的風格

《人口論》所討論的兩大主要因素，一是人口，一是糧食。目前的糧食生產量，較馬爾薩斯時代增加甚多；許多權威學者並且相信，如果人類能全力改善生產的條件與方式，糧食仍有大量增產可能；其中包括更有效的耕作方法與施肥，水利灌溉的改良，土地所有權制度的改革，邊際土地的開發，對於各種病蟲害更有效的控制，以及用植物和動物性食品代替一般的食糧等。譬如美國與加拿大糧產激增的成就，就常常被人們舉爲例證，來反駁馬爾薩斯的錯誤。

不過我們也必須承認，世界大多數地區糧產不足的情況仍極嚴重。有學者估計，全世界人口中有一半甚至有三分之二，正忍受著營養缺乏、饑饉、健康不良和各種疾病。我們祇要想一想中國大陸、印度、巴基斯坦、印尼，再加上非洲、中南美、和中東若干國家的情況，就可以發現上述估計是有相當可靠性的。因此，我們必須承認，馬爾薩斯的《人口論》，雖然發表至今將近兩百年，對於今日的人類社會仍有其現實意義。其觀察與分析的正確性，並未因時代變遷而減少。

另外有些人雖然認為馬爾薩斯的理論，已經有些「過時」，但也不能不承認其影響之重大。霍布浩斯（Leonard T. Hobhouse）曾很正確地指出，「馬爾薩斯的理論，是造成他的預言失敗的一個重要原因。他的理論使人們認識了人口增加過速的威脅，因而採取了若干間接的方法去加以節制。」節制生育的運動在文明國家日益普遍，《人口論》對這種運動的發起，實具有啓發性的作用。

百餘年來，對馬爾薩斯《人口論》加以研究、辯論的人很多。其中說得最為公允持平的，或應推凱因斯氏（John Maynard Keynes）。凱因斯推崇《人口論》這本書，「在促進人類思想進步具有偉大貢獻的著作中，應居重要的地位。」他指出，馬爾薩斯的著作，與英國人文科學的傳統深相契合。自十八世紀以來，英國的這一傳統由洛克（John Locks）、休姆（David Hume）、亞當斯密（Adam Smith）、柏雷（William Paley）、邊沁（Jeremy Bentham）、達爾文（Charles Darwin）、和密勒（John Stuart Mill）等人逐次建立起來。

這一傳統的特色，是愛好眞理，分析透徹，議論明確，態度穩健，不夾雜感情的或玄學的成分；不以個人的好惡爲曲直而堅持公是公非。這些學者研究的對象雖不同，但在他們的著作中都含有這一傳統精神，這是英國學術的一貫之道；馬爾薩斯正是屬於這一道統的。

所以，我們今日衡量馬爾薩斯《人口論》的價值與影響，應把握的是，人口與食糧增長率具有密切的關係；能將這一關係用邏輯的方法，強有力地陳示於世人之前者，則以馬爾薩斯爲第一人。馬爾薩斯敢於是其所是，堅守所信，對抗當時最流行最有力的論點，正表示一個負責任的知識分子應有的風格。至於《人口論》對當時及後代在實際的政治決策上、社會生活乃至學術思想上所發生的影響，那是到今天大家都仍可以看得到的。《人口論》的確無愧是一本改變了歷史的書。

個人與國家之間

梭羅及其《不服從論》

人們提到梭羅（Henry David Thoreau）的大名時，不由得便想到他是一個目光敏銳的自然觀察者，愛好離群索居的戶外生活，崇尚簡樸平易的生活方式，是一位偉大的詩人與神祕主義者，更是一代散文大家。

人們往往會忽略了梭羅在美國歷史上另有其重要的一面；他曾寫過最激烈的宣言，反對權威與政府。美國開國元勳傑弗遜曾說，「治理得最少的政府，便是最好的政府。」梭羅則更進一步說：「完全不管事的政府，才是最好的政府。」

梭羅上述的「警句」，出現在他一篇有名的文章〈不服從論〉（Civil Disobedience）裡。他的這篇論文最初於一八四九年五月發表在一本短命的刊物上邊，那是皮琶娣女士（Elizabeth Peaboby）主辦的《美學文粹》（*Aesthetic Papers*）。原來的題目是「反抗文人政府」，後來又改成「不服從的責任」，再後就簡化爲「不服從論」了。這篇文章最初發表時根本沒有引起甚麼注意，讀者爲數極少。可是，在發表後約一百年間，這篇文章不僅有千千萬萬個人閱讀，而且影響了千百萬人的命運。究竟梭羅其人的信仰是否屬於哲學上的無政府主義者，我們要分析「不服從論」的內容，以及作者寫作的環境與背景，方能爲此一複雜的問題獲得適當的答案。

從哈佛回到故鄉

在梭羅心中，他在下筆時恐怕完全沒有想到一篇文章能引起社會的叛亂。他於一八一七年出生在麻薩諸塞州的康歌鎮，原係法國人與蘇格蘭人後裔，及長受到保守派環境的薰陶，仍不失爲大家風範，但家境相當清寒。他在哈佛大學攻讀了四年，並未顯示出有何出衆的才華；哈佛是極爲重傳統，崇尚規律的學府，校中規定「學生上教堂，應著黑色服裝。」梭羅卻偏偏要穿綠色的上裝前往。這件小事足以顯示日後他堅持「不服從」的態度，在他性格深處自有本源。他在學生時期，常常伏首圖書館中泛讀群書，寫作興趣也在此時萌芽，有兩位卓越的教授詹寧（Edward T. Channing）和魏瑞（Jone Very），對他不時奬勉督責，啓發最多。

梭羅自哈佛畢業之後，就回到故鄉康歌；當地林木蓊鬱，碧草如茵，風光宜人；他後來除了爲期短促的幾次旅行之外，一直到死都定居在那兒，他嘗試過形形色色的職業，一度擔任公立學校的教師，後來與他哥哥合夥，辦了三年私立學校。然後，又幫助他的父親製造鉛筆，這是家傳的生意；後來又爲當地鄰居做過許許多多的工作，包括本鎮的測量員和臨時客串的教師，大概就在這個時候，他嘗試著要做一個職業作家。

梭羅曾兩度安居在好友愛默森（Ralph Waldo Emerson）的家中，愛默森是美國的哲學家和散文家，曾被人尊爲「美國的孔子」。在那兒，梭羅結識了屬於「超越俱樂部」（Transcendental Club）的會員，而且很積極的參加了這個在新英格蘭地區有名團體的各種討論，結交了許多作家和思想家。愛默森對於梭羅才智思想的發展，影響甚爲強烈，梭羅後來寫《不服從論》的若干觀念，亦是由愛默森那兒得來的。

起碼的物質生活

梭羅沒有祈求財富的欲望，他所求於世俗者，祇在能供應他自己最起碼的物質生活。他自認爲當務之急，乃是善用餘暇，漫遊康歌的山林田野，追求自然之美，讀書、寫作，做自己認爲應該做的事情，也就是最重要最基本的事情。他所要求的生活至爲簡樸，與鄰家親友方式都大不相同。聖經上教誨人們，應該工作六天，休息一天；梭羅則將這一規定顛倒了過來，一週中祇有第七天才去做苦工。一言以蔽之，他之所作所爲，不僅違反英國經濟學家亞當斯密的教言和美國開國先賢富蘭克林的主張，連美國傳統觀念「加緊工作，快快發財」，也完全不放在心上。

爲了以身示範，說明他所謂的簡樸生活應該是怎麼樣的，他跑到康歌附近的華爾騰湖（Walden Pond）之濱一住兩年。他在湖邊親手建造茅舍，種植豆類與馬鈴薯，吃最簡單的食物（主要是米、醃肉、蕃薯和蜂蜜），離羣索居，與外界無所往來。那一段期間，使他集中心神，沉思瞑想，伏首寫作。他在一八五四年出版的《湖濱散記》（*Walden, or Life in the Woods*）成爲美國文學史上最偉大的作品之一。

《湖濱散記》是他歸返自然的生活紀錄，其中充滿了值得懷念的四季景物，以及在他週遭許多野生動物的生活實景，頗富「萬物與我爲一」的曠達雋永的風味。同時，他在這本書中提出了他的信念，認爲社會與政府的功能皆有其極限；這話後來發生了深遠的影響。《湖濱散記》這本書因其思想方面的獨立性而吸引的讀者，和被他美妙的寫景抒情所吸引來的人同樣的多。從這方面來看，《湖濱散記》應該說是與較早出版的那本《不服從論》同樣都屬激進的書。這兩本書之間有著密切的依存關係。

在他卜居華爾騰湖畔之後不久，於一八四三年重遊康歌，爲了拒付人頭稅的罪名被捕，遂即下獄。據他自稱，他拒絕付稅乃是追隨阿柯特（Bronson Alcott），亦即著名小說《小婦人》作者阿柯特女士的父親；阿柯特爲了不付稅的原因，已經被捕兩年了。他們兩人都是用拒絕付稅的方式，來表示對國家支持蓄奴制度的抗議。梭羅在牢中過了一夜；他有一位姑母不顧他堅決的反對去替他付了欠稅，使他獲得自由。

一八四八年他寫了一篇講演詞，次年印刷成冊。在此之前，一八四六年至四七年間的墨西哥戰爭雖告結束，但可以看得出來蓄奴問題是一個足以引起燎原之火的嚴重問題。「流亡奴隸法」行將正式實施，此事使梭羅極感不平；再加上他自己關於人頭稅的官司，使他得到靈感著手寫成《不服從論》。

《不服從論》的根源

在梭羅的思想系統中，任何戰爭都是惹人厭惡的，尤以墨西哥戰爭爲然。因爲，他認爲，墨西哥戰爭惟一的目的就是把慘無人道的蓄養黑奴的制度，帶到一個新的領土上去。因此他要問，老百姓爲甚麼還要透過納稅的方式，在財務上支持政府進行這樣不公平而又愚蠢的罪行？這便是他的《不服從論》的思想根源。梭羅其實絕非政客，但這時他決心要考驗國家與政府的性質。究竟個人對國家以及國家對個人應該有些甚麼關係？由考慮這些問題，使得梭羅漸次形成了「個人人格完整」的哲學以及個人在社會中所居地位的觀念。

「政府，」梭羅寫道：「就其最好的例證而言，不過是一時的權宜之計；但是，大多數的政府卻常常形成一種不便。有很多人反對國家設置常備軍隊，抱這種意見的人越來越多，乃越來越值得重視，到最後他們可能起而反對常設的政府。」

梭羅承認，在世界各國政府之中，美國政府應該算是很好的。他批評說：「不過，美國政府從來不曾推展任何事業……它並沒有使這個國家自由。它並沒有拓殖西部。它也沒有教育民衆。美國能有今日之諸多成就，完全由於美國人民傳統的性格所造成；而且，如不是有一個政府擋住他們的路，美國人民一定會完成更多的成就。由於政府祇應是一種權宜之便，人民樂於服從以便使他不受別人的侵擾；如過去曾有人說過的，最令人稱便的政府，也就是能令絕大多數人免受他人之侵擾的政府。」

梭羅雖然認為政府可以沒有，不過，他同時也承認人類的確還沒有進化到十全十美的地步，所以政府還是不得不設的。他說：「我並不是主張馬上廢除政府，而是要求立即能有一個較好的政府。應該讓每個人表明態度，究竟他內心中所尊敬的政府應該是甚麼樣子的。這是我們朝著獲得較好的政府這個目標走去的第一步。」

梭羅認為，在民主政體之下，過分強調「服從多數」是不對的；少數人的權利仍應受尊重。他批評「服從多數」的原則說，「並非因為他們的主張最有道理，也並非因為這樣才是對於少數人最為公平，而祇是因為他們人數最多，在形式上最強。按照服從多數的原則所成立的政府，不可能是以正義為基礎的，甚至連人所瞭解的正義標準也談不到。」他又說：「我們應該首先是一個人，然後才是一個臣民。我們無需去培養對法律的尊敬像我們培養對是非觀念的尊敬一樣。」

對於搞政治的人，如果當做一個集團一個階級來看，梭羅對他們殊少敬意。他有一段很激烈的話，「大多數立法人員、政客、律師、部長以及其他居官的人，爲國服務，主要是用他們的頭腦；因爲他們很少劃清道德的界線，所以他們可能會在無意之中爲魔鬼服務，像是爲上帝服務一樣。僅僅乎有絕少數人，像英雄、豪傑、烈士和偉大的改革家，眞正的人物，他們爲國服務本諸良心，所以在必要時他們要抗拒國家法令，因而常常被國家以仇敵視之。」他這些話乃是爲他反對當時的美國政府預留伏筆。他說：「我無法承認這個政治組織便是我的政府，因爲它同時也是奴隸的政府。」他主張，人民有權抗拒國家的罪惡，必要時應可公開地宣示不遵守國家的法令。

人民對於不公平的法律，究竟應該抱持甚麼態度？這個問題梭羅也曾多方討論。是否應該等待大多數人用修改法律的方式消除不平呢？還是立即拒絕遵守這種法律？梭羅的主張，如果政府「要求你成爲對他人不公平的一個代理人的話，那我就要說，和那種法律斷絕關係吧……」

何以要釘死耶穌

梭羅表示，政府在本質上正是反對變動，反對改革的；而且政府常常以不當的手段對付批評者。他問：「何以總是要將耶穌釘死十字架上，將哥白尼與馬丁路德處以破門律，將華盛頓和富蘭克林宣佈爲叛徒呢？」

他大聲疾呼，要一切反對蓄奴的人，立即採取行動，不要以任何的人力物力去支持一個曾犯了罪過的政府。他說：祇要是與上帝同在，便無需等待成爲大多數以後再採取行動。

至於對政府表示「不服從」的方法，梭羅建議：拒絕付稅是大家都可以辦得到的。他說：即使祇有不到一千個人用拒絕付稅的方式來表示他們對政府的不滿，最後仍可能導致改革。即使因此可能受到懲罰，亦應勇往直前，無所顧忌。他說，「如果一個政府曾將任何人不公平地關進監牢，則一個公正的人最應該去的地方便也是那座牢中……如果在把全體好人都關進牢獄，與廢除戰爭和奴役之間作一選擇，則國家可毫不猶豫地作一抉擇了。」他的意思是說：如果人民向一個不公正的政府納稅，就無異於是默許了國家所犯的罪惡。

不過，梭羅也看到有產階級是不敢甘冒大不韙而與當政者對抗的。他說：「那些有錢的人……總是把他自己賣給那種使他發財的制度的。我敢斷言，錢越多道德越低，因爲金錢來自個人與世俗事物之間，而且，金錢可以爲他買來那些世俗之物。」梭羅自認是一個貧窮之人，「對國家不肯妄從，但絕不會因此而受到任何財產上的損失。因爲我沒有甚麼可以損失的財產。」

論及當時蓄奴制度的罪過時，梭羅特別舉出麻薩諸塞州爲例，他說在東北部的麻州遲不採取行動，乃是由於經濟上的打算。他說：

「實際說來，反對在麻州州內推行改革，廢除蓄奴制度的，並不是南方各州十萬個政客，而是在麻州本地的十萬個商人和農民，他們對於貿易和農業的興趣，遠較對人道原則爲高。無論將付出的代價是甚麼，他們都無意於公平地對待奴隸和墨西哥。」

梭羅堅守他自己的原則，前後六年之久，他自稱不曾繳納過人頭稅。他在牢獄中經短暫的拘留，絲毫未能動搖他的信念。他指責國家「猶如一個孤苦伶仃的老太婆，手中帶著她的銀匙，分辨不出敵人和朋友，我對它已不存絲毫的敬意，祇是滿懷憐憫。……國家既非特別的明智亦非過人的誠實，而祇是具有非常的強力。然而，我卻不是爲了受強力壓迫而生的。我要照我自己的心意去呼吸。」

關於賦稅，梭羅也有一番說詞，他說他從來不曾拒繳公路稅或興建學校的稅，他認爲這是住在一個社區中應盡的義務。他所堅決拒絕的是一般性的賦稅，因爲這些稅收會直接用於作戰和支持奴役制度。

國家爲個人存在

雖然他對於「服從多數」的原則曾加以揶揄，但他對於公衆的判斷倒仍懷有信心。他認爲美國之能儕於列國之林，絕不是由於政客們的爭權攘利，舌辯滔滔。民衆的智慧才是力量的來源。

在《不服從論》的結論中，梭羅一方面提出了他對於「完美的政府」的觀念，同時並對於個人的尊嚴與價值再加強調。他說：

「政府之權力，必須得到被統治者的批准與同意。除了經我同意之外，就不能夠有任何眞正的權力來管轄我這個人或我的財產。由絕對君權進步到有限君權，再由有限君權進步到民主政治的過程，便是走向眞正尊重個人的過程。……以我們所知的民主政治，是否便是政府最後的一種形式？是否還能夠更進一步地承認個人的權利？除非國家能承認個人具有更高的獨立的權力——國家的權力也是由這種權力中推演出來的——否則國家便不能眞正自由，前途也就未必十分光明了。……我在想像，國家最後終於能夠以公平正義之道，對待全體人民，並且以尊重鄰人的態度去尊重每一個人；……必如此，始能造成完美而光榮的國家；可惜這樣的國家祇存在於我的想像之中，世間到處都還看不到。」

梭羅在《不服從論》中表示的基本信念是：國家爲個人而存在，不是個人爲國家而存在。在群體中，如果牽涉到道德原則的話，少數應拒絕向多數讓步。國家無權強制人民去支持不公正的事，那是違反道德自由的。人類的良心應該永遠是他自己言行思想的最高指南。

梭羅提出的理論，對當時戰爭毫無影響。與他同時的著作中根本沒有人提到過他的文章。他的論文出版於南北戰爭爆發之前十年；那時主張廢奴的議論很多，掩蓋了梭羅作品的重要性，如此竟使之沒沒無聞者數十年，一直到二十世紀之初才又爲人重新發現其價值。

一九〇七年，有一本《不服從論》流傳到一位旅居非洲的印度籍律師之手，此人即一代聖雄甘地（Mohandas Karamcharnd Gandhi）。他那時已經認識了「消極抵抗」可以作爲拯救印度人民的一種有力方式。甘地後來回憶說，他是由一個友人處得到一份梭羅的論文，讀後印象至爲深刻，就親手將這篇文章的重要部分翻譯爲印度語文，交由一本叫做《南非印人公論》的刊物上發表，當時甘地是兩個刊物的主編。事後他又加印了若干抽印本分贈印度讀者。他說：「這篇論文議論重重，令我深爲折服，而且希望能對作者梭羅其人有更多的瞭解。於是我閱讀他的其他著作，如《湖濱散記》以及其他短文，皆令我深獲教益。」

不久，那家雜誌社又以「消極抵抗的倫理學」爲題徵文，特別提及蘇格拉底的哲學以及梭羅的論文。這亦是出於甘地的意思。

啓發了甘地思想

甘地對於「消極抵抗」之說並不滿意，但又沒有甚麼更好的名詞來替代它。在讀了梭羅的論文之後，他便採取了 Civil Disobedience 來形容他所領導的反抗運動。他對英國鬥爭的原則是堅定而不使用暴力，全心全力追求眞理與正義——這種政策是完全按照甘地哲學而來的。《不服從論》到了甘地的手中，成了不抵抗運動的聖經。甘地將兩個森斯克族的字合併而成爲一個字 Satyagraha，來翻譯「不服從」這個名詞。那個字的意思是「靈魂的力量」，或「由眞理、愛情或非暴力而產生的力量。」

甘地的傳記作者奚里哈蘭尼（Krishnalal Shridharani）曾說，「梭羅在美國進行反奴役的孤軍奮鬥，使得甘地獲得深刻的信心：反抗者人數的多寡不足罣慮，主要是看反抗者的精神力是否堅毅到底，以及其茹苦犧牲是否皆出於純潔的動機。」

甘地本人也曾說過，被孤立了的個人，如果採取消極抵抗的方式，可能不會引起人的注意。但是，「潔行高蹈之士，他本身所樹立的風範，自有奇妙的方法會不斷加倍流傳。」他指出，「像梭羅那樣的人，就是以他個人的人格立爲表率，漸次達成廢奴的目標。」

甘地這些話，也正是響應梭羅的論調；梭羅對於群衆中的「少數」力量，從不輕估。他認爲祇要具有決心，少數的意志也照樣是不可搖撼的。奚里哈蘭尼指出，「梭羅所倡議的不服從論，構成了甘地精神力量中的主要武器；梭羅更揭示出不合作的潛在影響。甘地得到他的啓示，後來加以擴大，終於推翻了英國人統治之下腐化的國家機構。」

甘地留居南非，直到第一次世界大戰爆發的一九一四年；他與史末資將軍（Jan Smuts）率領的南非政府不斷地進行鬥爭。南非政府曾用起訴、下獄等種種方式，多方予以壓制。可是，甘地的不合作、不抵抗、不服從的技巧，最後終於佔了上風。史末資總理及其政府接受了當地印度人的每一項重要要求，包括廢除打手印的立法，取消每人每年三鎊人頭稅的歧視規定，批准印度人與回教徒之間通婚的合法性，撤銷了對於受過教育的印度人移民南非的限制，並且保證對於印度籍人民合法的權利，都將予以維護。

一九一五年初，甘地回到了印度。直到一九四八年第二次大戰結束後他不幸被刺逝世爲止，他一直留在本土，領導印度人民爭取獨立，最後終於爲印度和巴基斯坦爭得了自由。在那一段期間，暴動、屠殺不斷發生。長期監禁，各種對人權的壓制以及各種不公平的法律都仍存在。甘地經常使用的武器，便是「不服從」，多年以來，獲得了顯著的效果。他的第一步便是進行宣傳，繼之以示威、談判，然後，如果可能的話，再交付仲裁。若是這樣仍不能獲致結果的話，便繼之以局部罷工、靜坐罷工、總罷工、商業上的抵制運動和遊行等種種方法。此外，還有一樣武器便是拒絕付稅。

到了一九四七年八月，英國政府不得不給予印度和巴基斯坦以自治領的地位。梭羅的「不服從論」在甘地手中成爲了實用的武器。而且成爲世界上被壓迫人民迫不得已的反抗方式。

梭羅拒斥任何形式的極權主義與全體主義。他的信條與社會主義和共產主義恰成水火，互不相容。他激烈反對將國家置於個人的權利之上。環顧當前世界大勢，梭羅的觀念似乎已經打了敗仗。然而就整體而言，國民與政府之間的關係，也就是說他對國家服從的性質與程度，仍是一個緊急的問題。各國學人與政府當局，都希望能早日獲得一個具體而切實可行的答案來。

政治學者巴林敦（Vernon Parrington）曾說：「在梭羅的作品中，十八世紀的個人主義哲學，以及由法國盧騷所倡導的自由主義，得到了最充分的發揮，梭羅反對嚴格的社會秩序，因而成爲放任主義最完整的化身……他很幸運的是他並未預見到：他所懸對自由人之希望，即使在未來世界中也是極遙遠之事。」

個人不能脫離國家而存在。個人如將國家視爲一個罪惡的存在，是一種落伍的想法。尤其在二次大戰以後，世界各國紛紛以「福利國家」，造福民衆爲施政的目標。事實上有很多問題，絕非個人之力所能解決。因此，個人與國家便不應仍是互相對峙的力量。國家固不宜壓制個人的自由與權利，個人亦不應以私害公，有己無人。國家如果不能存在，個人的自由亦將無所託足，那種自由的論調是不切實際的。

小說的道德使命
史佗夫人及其《黑奴籲天錄》

黑白衝突在美國，有其長遠的歷史背景，這個問題不僅有社會的、經濟的、教育的、法律的乃至政治的原因，而且也與美國當代人民的精神狀態交相作用。描寫黑白之間的矛盾，在美國文學中是一相當普遍的題材。美國人文薈萃之區是在東部，所以早年曾有「巴伐洛以西無文化」的說法。但美國文學作家出身南方者甚多，這些作家的作品幾乎無可避免地多多少少要涉及黑白問題。黑白是非，成爲美國人心理上的一個結，道德上的一大負擔。

在二次大戰結束之後，特別是一九六〇年之後，非洲各國紛紛獨立。這些新興國家的崛起，一方面顯示人類日益朝著「天下一家」的大道前進，但同時也爲世界帶來若干新的問題。從這個角度來看，美國的黑白關係一年比一年緊張，也未嘗不是由於久受壓抑的黑人，看到非洲各國黑人躍登獨立自主的地位之後而更加不耐；再加以野心分子的幕後煽惑，遂如火上加油，一發而不可收拾。黑人之亟於爭取平等的地位與權力，是世界性的。不過，由於美國是當今世界第一富強之國，內部竟然發生這樣嚴重的問題，予世人的印象乃特別強烈。

其實，美國有識之士亦早知歧視黑人之不合情不合理；看百年之前的南北戰爭——美國歷史上惟一的一次大規模內戰，即爲求解放黑奴而起。而在文學作品中，《黑奴籲天錄》一書是維護黑人人權的第一聲號角。

《黑奴籲天錄》這本書，原名 *Uncle Tom's Cabin*，直譯是《湯姆叔叔的小屋》。我國因有清末民初林琴南先生的文言譯本，譯名《黑奴籲天錄》，已爲大衆所沿用。這本書出版於百多年之前，盛名雖至今不衰，但在我國近年來讀此書者不多。

我國文壇風氣，近年似有趨尙浮靡纖巧，華而不實之弊。在這種風氣影響之下，有許多作品「文」勝於「質」，過分炫弄技巧而缺乏內容，沿著這個路子走下去，要產生劃時代的偉大作品恐甚困難。此時重提像《黑奴籲天錄》這樣一部作品，或亦不無意義。

火花震動了世界

《黑奴籲天錄》這本書，有人讚美，有人反對，但無論是贊成或反對，至少有一點意見是相同的；大家都承認這本書所引起的無可匹敵的影響，以及它對於南北戰爭爆發曾發生了「點火」作用。直到本世紀的初葉，還有一位很有名的學者，攻擊《黑奴籲天錄》，說這本書「爲害世界之烈，乃任何其他書籍所不及。」

而在讚美此書的人中，如大詩人朗斐羅（Henry W. Longfellow）曾在一封信中說，《黑奴籲天錄》一書，「乃是文學史上最偉大的勝利之一；且不論其在道德上的影響。」另外有很多人稱譽其爲「不朽之作」，其作者「毫無疑問爲女性中之偉大天才。」

這本書的問世，其題材、其時機，可以說是恰逢其會。當時在美國，關於釋放黑奴的問題，由於「逃亡奴隸法」的通過，正造成了空前緊張的局勢。揭櫫廢奴主義一派的人士，奔走呼號，已近二十年，他們的宣傳活動愈來愈強。美國國會爲釋奴問題分裂爲旗鼓相當的兩個陣營。在宗教界人士從南方到北方，對於蓄奴這一「特殊制度」，意見也極爲紛紜。這種舉國紛擾的精神狀態，猶如一座大火藥庫，祇待有一星星火花，就可以發起震動世界的爆炸。《黑奴籲天錄》這本書便正是負起這一歷史任務的火花。

這本書的成功，不僅由於時機的成熟，同時也由於作者家世源流以及她本人的環境，鑄造了她的人格，恰恰是掀動這反奴役十字軍運動之狂潮的最適當人物。

替天傳道的心情

史佗夫人（Harriet Beecher Stowe）於一八一一年生於美國東部康奈狄柯州的里契菲爾德城。她的家族是十九世紀最有名的宗教家庭之一；她的父親和哥哥都是當時極負盛名的牧師；她自己嫁給一位牧師；她的兄弟行與兒輩之中，有好幾位都是以傳道爲終身事業。所以，史佗夫人的一生，可以說都是生活在嚴格的宗教氣氛之中的。而她所接受的宗教教育，屬於基督教中以嚴謹著稱的卡爾文派，像當時新英格蘭知名的清教徒如艾德渥茲（Jonathan Edwards），霍普金斯（Samuel Hopkins）等人，對她後來的立身處世，影響甚深。由於她自幼便生活在神學氣味濃厚的環境中，所以，自然便有一種以「替天傳道」自任的心理傾向。她既然不能以傳教士爲業，所以後來拿起筆來，用文學寫作來代替登壇講道，是一種很自然的發展。在她所有的作品中，包括《黑奴籲天錄》在內，皆可看出宗教精神的背景，信之堅，愛之切，乃表現出熊熊如火的熱情；而在文采風格方面，則又優美澄明，顯然得力於閱讀聖經。

史佗夫人幼年所受的教育，遠優於同輩的女性，不過，她所受之學，三分之二是屬於神學性質的。她是一個明敏好學的讀者。神學以外，她最崇拜的作家，是英國的詩人拜倫和小說家司各德。這兩人的作品，對於她後來的寫作，也有很深的影響。

當她十四歲那一年，她父親由里城將全家遷往波士頓。過了幾年，又遷往辛辛納提，她父親畢契爾（Lyman Beecher）是一個精力充沛的神學家，一度在辛城擔任蘭因神學院的院長。

史佗夫人在辛城一直住到一八五〇年。她在那兒教過書，且和神學院的教師史佗

（Calvin Stowe）結了婚，生了六個兒女。婚後，她在教學治家之餘，偶爾爲雜誌界寫些短篇小說之類的文章。

在辛辛納提居住的若干年，對於她的性格志業，有多方面的影響。辛城屬於中西部的俄亥俄州，隔著一條俄亥俄河，對岸就是屬南方的肯塔基州，那邊有許多蓄奴的大農場。常常有些不堪壓榨，渴慕自由的黑人，渡河逃到辛城來。所以，在這座城中，民衆不僅爲應否廢止蓄奴制度而辯論，而且不時發生暴烈的衝突。當時主張繼續准許蓄奴的人，糾集暴衆，遊行示威，搗毀反對派的報館，並且凌虐那些已經逃離南方的黑人。

從南方逃出來的黑人，往往以逃到辛辛納提爲第一站，然後再向北遷徙，他們的目標是潛往加拿大。

史佗夫人的父親所主持的那家神學院，便常常收容逃亡途中的黑人，供他們略作喘息托庇之所。這家神學院是在離城兩哩的鄉下，道路崎嶇，泥濘載途，所以倖免於蓄奴派暴衆的攻擊。有幾回，慷慨熱心的畢契爾老牧師，把黑人收容在他自己家中。史佗夫人從那些驚魂未定的黑人口中，聽到了許多慘絕人寰的遭遇。那些黑人都是生而爲奴，半生受盡非人的待遇，農莊上的工頭，對他們鞭撻凌虐，甚於牛馬；有時又被牽上拍賣場，和牲口一樣地賣來賣去，力大身強敢於逃亡的人，又需親歷種種追蹤搜捕的驚險恐怖鏡頭。幸而逃亡成功，一身得免，但不能不遭受骨肉乖離，家破人亡的厄運。他們這些痛苦的遭際，在史佗夫人的心中，種下《黑奴籲天錄》的種籽。

一八三三年，史佗夫人曾與一個朋友結伴南行，到肯塔基州短期旅行。此行中她親眼看到好多處大農場，那些因蓄奴而發了財的農莊主人，住的是華堂美廈，享受著安富尊榮的生活。而那些黑奴的生活則不如豬狗。她所得到的印象，便成《黑奴籲天錄》書裡描寫謝爾比農場的張本；同時，對於蓄奴制度的實際情況，也由此行中得到了實際的材料。

史佗夫人有一個經商的兄弟查理，他常常旅行到南方的大城新奧爾良以及紅河流域鄉間。查理親眼看到南方各州黑奴遭遇之慘。他就把這些見聞都告訴了她的妹妹。其中最深刻的是他在密西西比河上乘船旅行時遇到的一個殘暴的監工。關於這個人物的言行印象，經他轉述之後，成爲《黑奴籲天錄》裡那個毫無人性的監工賴格瑞的底子。

史佗夫人住在辛辛納提的那些年間，並沒有成爲一個徹頭徹尾的廢奴論者。她對於這些問題，毋甯是採取一種旁觀的中立態度。她也許是受了她父親的影響，一面同情黑奴，一面又覺得廢奴主義者未免太激進了一點。

一八五〇年，史佗先生應聘到東北部的緬因州包敦因學院任教授，於是舉家遷回新英格蘭地區。此後，史佗夫人的看法漸漸轉變了。

當時，整個新英格蘭地區都爲了國會通過的「逃亡奴隸法」而怨聲沸騰。這個法案的通過，是爲維護農奴主人的權益。過去，黑奴一逃離南方，就算得到了自由。由於「逃亡奴隸法」的通過，使得蓄奴主有權追蹤逃亡的奴隸，而且，在北方的治安人員有義務去協助他們追緝流亡。這一來，本來已經好不容易獲得了自由的黑人，又面臨著被捕和押解回南方的命運，尤其是在北方安頓了幾年已經成家立業的黑人，更因這一法案而妻離子散，到處都是悲劇。

是上帝手中工具

就在這個時候，史佗夫人收到她嫂嫂的一封信；那位閨名伊薩白的婦人，敦促在家族中以能文知名的史佗夫人，應該趕緊寫點東西出來，讓全國的人能曉得奴隸制度是多麼應該詛咒的事情。於是史佗夫人照著家庭的傳統，先向上帝祈禱了一番之後，就下定了決心，有生之年，她一定要寫出點甚麼來。同時，她的哥哥愛德華（就是伊薩白的丈夫）在波士頓教堂中宣揚反奴隸制度的道理；另一個兄弟則在紐約布魯克林的教堂裡，舉行拍賣，好讓那些黑人免於服刑的危險。

《黑奴籲天錄》中的主角是黑人湯姆，「湯姆叔叔」這個名詞至今仍是美式英文中對於溫和派黑人的同義詞。作者寫這本書，並非從頭到尾按順序地寫，而是最先完成了關於湯姆之死的一章。

據說，史佗夫人某天參加了一次聖餐式，她當時心中就在幻想著有關湯姆之死的景象。

當天下午，她就在家中把房門鎖好，埋頭寫作起來，靈感源源不絕，她手邊的稿紙都寫光了，祇好把包東西的牛皮紙權充稿紙，把這一段情節寫完。這一段，也就是後來《黑奴籲天錄》全書完成時「烈士」的那一章。

史佗夫人在寫完這一個故事之後，曾把它讀給丈夫和兒女們聽。大家都深受感動。史佗先生更興奮地叫起來，並且提醒她，「妳不是答應伊薩白寫一篇反對蓄奴的小說嗎？這就該是全文中的高潮。我看妳應從頭寫起，源源本本寫來，把這一章包括進去，就可以成爲一本完整的書了。」

數週之後，史佗夫人寫信給舊友貝雷（Gamaliel Bailey）。貝雷與史家在辛辛納提時就曾交往多年，現在他在首都華盛頓，主編一本主張廢奴的小刊物《民族時代》。史佗夫人提到她的新作，她希望《黑奴籲天錄》可以在那本雜誌上分三四期發表。貝雷立即表示同意，而且付了三百元的稿費，於是，自一八五一年六月，《民族時代》便開始連載了這部新人的作品。

史佗夫人本希望這部著作在一個月內可以完成；但由於她過去的經驗以及由閱讀中間接得來的種種印象，使書中的場景、人物、事件、和對話不斷增加，她自己的想像力與靈感又不斷源源而來。《民族時代》是一本週刊，這小說在上面逐期發表，差不多一年之久才將全文登完。史佗夫人在全書脫稿之後曾說明寫作此書的感想說，「這完全是上帝親自完成的，我不過是祂手中的一個工具而已。」

反對蓄奴的悲劇

《黑奴籲天錄》雖人物甚多，但其主要情節並不複雜。開場時，寫的是肯塔基州一個仁慈的蓄奴主人謝爾比，因爲清償債務，被迫將他所有的最好的黑奴轉手出售，其中就包括此書的主角湯姆叔叔在內。對方是新奧爾良的販奴者哈雷。

有一個黑白混血的女奴伊麗莎，無意中偷聽到謝爾比和哈雷之間的談話，曉得她的兒子哈瑞也將被賣掉；因此，她便漏夜攜子逃亡，偷渡過結了冰的俄亥俄河，遠走加拿大去獲得自由。她的丈夫原是鄰近的另一家農場中的奴隸，得到消息後，也相隨而去。在逃亡途中，他們歷遍無數的驚險，並且得到一些清教徒和同情黑奴的白人之協助，一家人終於安然抵達加拿大，後來轉往非洲。

老湯姆叔的遭遇則沒有這麼幸運。他雖然事前也得到風聲，但因他不願使主人謝爾比在面臨破產之時更陷窘境，所以拒絕逃走，寧願接受妻離子散的命運。當他沿密西西比河南下前往新奧爾良的途中，他救了一個白人的小女孩夏娃。夏娃的父親聖克萊爾爲了答報救女之恩，就把老湯姆從販奴者的手中買了下來。此後，湯姆在聖克萊爾的豪華住宅中過了兩年安適的歲月；夏娃是一個很可愛的女孩，她的遊伴陶普西則是一個調皮的小黑童。他們相處得很好。

不幸夏娃突然夭折。聖克萊爾爲了紀念愛女，決心要把老湯姆和別的黑奴一起釋放，無條件讓他們獲得自由。可惜他又在意外中被誤殺，聖克萊爾的妻子便又把這些黑奴送往奴隸市場。

在拍賣場上，湯姆被一個殘暴而酗酒的農人賴格瑞買得。儘管湯姆盡心服務，希望能得新主人的歡心，但始終無法改變賴格瑞對黑奴的憎恨與鄙視，並且常遭無理毆打。

後來，有兩個女奴凱西和艾美琳，不堪賴格瑞的虐待，結伴逃離農莊。賴格瑞指責湯姆協助她們逃亡，並且要他供出她們的下落。湯姆拒絕透露任何口風，賴格瑞在盛怒之下，對他猛施鞭撻，打得他遍體鱗傷，昏迷不醒。

幾天之後，有一個叫做謝喬治的青年，到新奧爾良來爲湯姆贖身。謝喬治是老主人謝爾比的兒子；他始終沒有忘記老湯姆是一個多麼忠誠友善的僕人。可是，爲時已嫌太遲，老湯姆不幸因傷重致命。謝喬治把賴格瑞打了一頓，回到肯塔基州之後，爲紀念老湯姆的緣故把自己所有的黑奴都釋放了；同時，他自己也決心獻身於實現全面廢奴的理想。這就是這本書內容的梗概。

由以上的內容大要，可知史佗夫人筆下批評譴責的，不是特殊的個人而是整個蓄奴制度。白人與黑人誠然可以和諧相處，但這對於黑人的安全與幸福並無充分的保證。只要有蓄奴制度存在，黑人就有被凌虐、被拍賣、遭受非人待遇之可能。善良與仁慈的主人並不能保護他解救他。所以，悲劇的發生，不在人而在制度。像賴格瑞那樣殘暴的人物，不過是整個蓄奴制度的縮影。

出版後風行一時

雖然《民族時代》的銷路很有限，但自《黑奴籲天錄》連載以來，短短幾個月間已引起了各方熱烈的反應與支持。當全書最後一章在雜誌上發表之前，單行本就已經印行出版。出版者是波士頓的一家小出版社，主持人周維特（John P. Jewett）。周維特印這本書，當時可說是一大冒險。因爲這書出於一個無名的女作家之手（「女作家」在一百多年前的美國還是少見的），這本書寫得很長，題材又並非容易吸引廣大讀者的愛情故事，而是極易引起爭論的社會問題。周維特爲了避免遭受太大的損失，提議請史佗夫人出一半印製費；如果賺了錢，就二一添作五。史佗夫人自己對這本書的銷路也頗乏信心，不肯接受這個建議，而決定抽取版稅——每售出一本她就照定價得版稅百分之十。這一個抉擇看起來比較「安全」，但後來卻使她的收益比兩家分帳減少了許多。

最初，史佗夫人與周維特對《黑奴籲天錄》的發行都不甚樂觀。史佗夫人曾說，她預期從這本書上所得的版稅，頂多供她買一件新的絲質衣裳。最早的一版共印了五千部，分裝上下兩卷，封面上是一幅有一間黑人小屋的木刻。

想不到此書出版的第一天就賣掉了三千部，第二天就收回了全部成本，各方訂單源源而來。

一週之內售出了一萬部。出版的第一年，僅在美國境內就賣了三十萬部。周維特的出版社用了八部蒸汽發動的印刷機，有三家造紙廠專門供應爲印此書所需的紙張；結果仍有成千成萬的訂單，無法即時交貨。依當時美國人口計算，幾乎每一個認識字的人，都讀過這本書。

《黑奴籲天錄》在美國以外的國家更是風行一時，普特南公司有一個年輕的職員，把這本書寄了一本給一家英國出版社，那家出版社致送了五個英鎊酬謝那個青年。然後，就把原書翻版，也就是現在我們熟知的所謂盜印本。但當時由於「國際版權協定」尚未成立，作者的權益根本無法得到法律的保護。不久以後在英國，便有十八家出版機構，盜印了四十種不同版本的《黑奴籲天錄》。這些盜印本在英國及其殖民地上，一年之間銷售了一百五十萬部。史佗夫人與原出版家雖然也知道了，卻無法分得其應享的權益。

同時，在歐洲大陸上的各國出版家，也都爭相搶印。據統計，《黑奴籲天錄》當時至少有二十二種語文的譯本。在法國、德國、瑞典、荷蘭等國，都造成了出版界轟動一時的盛況。

除了盜印本之外，這部小說又被改編爲劇本，成爲在美國舞台上演出次數最多的戲劇。不同的劇本，不同的演員，由美國一直演到國外、美國雖自一八五二年由國會通過一個著作權法，這個法案裡面對於將小說改編爲劇本時，原作者究竟有甚麼控制權卻沒有明文規定。史佗夫人是不贊成改編的，當有人向她請求同意，她也斷然拒絕過。但由於法律本身的漏洞，小說還是搬上了舞台，她也沒有能夠由演出者方面得到分文的版稅。

雖然作者在金錢方面的收益遠不及她應該得到的多，但《黑奴籲天錄》這本書的風行則爲有目共睹的事實。除了聖經之外，《黑奴籲天錄》是當時最暢銷的書籍。根據這本書，又有了戲劇的、詩歌的、音樂的種種表現形式，傳播所及，遍於全世界每個角落。

一本書暢銷並不稀罕，更難得的是《黑奴籲天錄》對於當代思潮與輿論所引起的巨大影響。史佗夫人的子孫曾追記這本書的影響，直如漫天野火，洶洶巨潮，形成一種沛然莫之能禦的力量，打動了全世界人們的心靈。

助林肯進入白宮

當然，在南方蓄奴各州，保守派人士對這本書及其作者，深致憤懟。有些人寫文章涉及史佗夫人時，都把名字後面加個括號，註的是「罪惡之王」。南方許多家報紙刊載專欄，對這本書中所敘述蓄奴制度的罪惡百方辯護，舉出許多「實例」來證明史佗夫人的書是「惡意僞造」，內容「錯誤百出」。還有成千的憤怒「讀者」，寫信給史佗夫人，對她痛加醜詆，施以人身攻擊。

《黑奴籲天錄》剛出版時，尙可行銷南方各州。但是，由於書一出來就引起了強烈的反對，到後來，如果有人敢保藏一本《黑奴籲天錄》，便成了一件可能危及身家的事。

其實，史佗夫人的本意，並不完全站在廢奴的立場發言，她堅信，並且一直期望，這本小說能提供一個和平的方法，來解決爭辯不休的蓄奴問題。她有一位籍隸南方的朋友，在讀過了這本書之後對她說，「大作將成爲一個有力的調解者；南方與北方將因此書之出而團結一致。」史佗夫人原是要把有關蓄奴爭論的各種意見都反映出來——一方面是可敬的族長式的農莊主人；另一方面也的確有許多蓄奴主人是殘暴無情，罔顧人道的。書中的謝爾比和聖克萊爾，都是南方紳士的典型；聖克萊爾的愛女夏娃，更是美國文學中最可愛的小孩之一。書中的首席「反派」賴瑞格反而是個北方人。還有兩個人物歐菲麗亞女士和馬可絲女士，也都籍隸北方；作者在書中寫得很淸楚；北方各州的人無論對於黑人如何表示同情，他們實際上對這個複雜的問題並未眞正瞭解。

話雖如此，南方人的憤慨並未稍解，他們對史佗夫人的攻擊，主要是說她「揑造事實」。理由是，根據南方各州的法律，殺害黑奴與殺害白人的處刑同樣的嚴重；法律嚴禁強迫十歲以下的兒童脫離父母的養育；而且，他們還說，南方人大都視黑奴爲寶貴的資產，絕不肯輕易加以虐待的。

在北方，《黑奴籲天錄》所引起的反應亦相當複雜。有些人雖不贊成蓄奴制度，卻對此書仍表反感；認爲它將激起內亂。另有一部分北方人，在南方棉業生產上投下大量資金，他們的經濟利益已與南方大地主一致，當然不贊成廢奴。這種態度可以紐約的《商業雜誌》爲代表；這本刊物曾在社論中質詢史佗夫人寫《黑奴籲天錄》的眞正動機何在。

不過，一般說來，北方的讀者都對這本書表示讚許，認爲這書是對於蓄奴制度的有力控訴。由於書中所表露的思想具有濃厚的宗教色彩，使人們更深信奴隸問題是一個涉及心靈與道德的問題。

《黑奴籲天錄》造成的第一個立即效果是使得「逃亡奴隸法」的執行全無可能。除了南方各州以外，別的地方幾乎一致採取了不合作的態度。

同時，由於此書出版，使人人對於蓄奴問題都要加以嚴肅的考慮，由此而形成了強大有力的反奴隸制度的輿論，最後乃不可避免的引發了南北戰爭。《黑奴籲天錄》的的確確是引起那場血戰的重大因素之一。當史佗夫人一八六二年應邀訪問白宮的時候，林肯總統致歡迎詞時說，「寫這本書的這位小小的夫人，卻造成了這一場大戰。」當時的一位政治家薩姆納（Charles Summer）則說，「如果沒有《黑奴籲天錄》這本書，林肯就不會當選美國總統。」

對南方深懷熱愛

《黑奴籲天錄》的文學價值，起初並沒有引起多大的注意，不過，後來討論的人越來越多。歷史學者羅德士（James Ford Rhodes）認爲，這本書的「風格不免陳腐；語言常常是平庸而不夠優美，有時還夾雜土語；幽默的地方也顯得不夠自然。」南方的一位文學批評家楊氏（Start Young）特別討論史佗夫人使用的黑人口語，他說，「她看到很多黑人，但卻不能使他們講話。她的耳朵毫無用處，她對於黑人語言中的韻律與生動之處，完全沒有領略得到。」另一位作家布魯克斯（Van Wyck Broooks）雖然稱道這本書是「一件偉大的文獻」，但也認爲「在組織上瑕疵尙多，而且具有感傷主義的氣氛。」

當然，讚美這本書的人也很多，其中，當代批評家安東尼女士（Katharine Anthony）的意見可以作爲代表。她說：《黑奴籲天錄》這本書「作爲一部描寫美國生活的浪漫小說，無疑應居於第一流的地位。史佗夫人顯然對於南方深懷熱愛。雖然她憎恨南方竟是居於主張蓄奴的一方，但她寫到南方的氣氛時，不由得流露出熾熱的同情。她是第一個美國作家以嚴肅的態度來寫作黑人問題；同時將黑人作爲小說中的主角，她也是第一人。這本書最初寫作時雖具某種道德目的，但作者在全書進展的過程中，偶爾也暫時忘懷了她本來的道德目的，全神貫注去寫它的情節。」

從歷史觀點而言，這本小說的重要性，不僅在於它是一部偉大的藝術作品，而更在於它是社會學上的重要文獻。它所發生的影響與引起的後果，很少有其他文學作品可以比擬。

《黑奴籲天錄》出版之後，史佗夫人立即成爲國際知名的人物。她曾三度出國訪問，第一次在這本書出版後一年。那一次她訪問了英倫與蘇格蘭，受到好幾百名流學者、王公巨卿的熱烈歡迎。維多利亞女皇和皇夫阿爾培特王子都曾親自接待她。小說家狄更斯、詩人艾略特、史學家麥考萊，以及首相葛蘭史東，都與她親切晤談。民間對她的歡迎更是熱烈非常，甚至把她看作替苦難中的人們爭取人權的象徵。在愛丁堡，她曾出席一次集會，與會者一分錢一分錢地捐獻了一千個金幣的專款，作爲她繼續從事反對蓄奴制度的經費。從來沒有一位美國作家像她這樣的轟動英倫三島。

史佗夫人爲了要反駁那些攻擊他的論調，曾親自編了一本《黑奴籲天錄之鑰》（*A Key to Uncle Tom's Cabin*），據她說，其中包括了「所有的原始事實、傳聞，以及這本小說取爲素材的官方文書，其中有很多是很有趣很感人的故事，可與原書互相參照。」這本《鑰》共分爲四部分。首先，是對於《黑奴籲天錄》中人物的說明，藉以表明她筆下的人物皆有眞實的根據，並不是嚮壁虛構而是活生生的人。第二部分是有關奴隸問題的法律條文，顯示當時的法律，不曾盡到保護黑人基本權利的任務。第三部分記述各別的黑奴的親身經歷，並批評了當時的輿論也未能盡到保護黑奴的責任。最後一部分，她嚴正地指控各敎會，因爲它們意見分歧，所以不能對奴隸制度這個重大問題採取有力的立場。

這本《鑰》似乎是畫蛇添足之舉。因爲它是在《黑奴籲天錄》已經寫成之後才收集的材料，而且有若干材料取自傳聞，不足採信。所以「鑰」並沒有能折服原書的反對者，因此也並沒有能加強原書在反奴隸制度的影響力。很可笑的是，有一家英國出版商，先前靠了盜印《黑奴籲天錄》而獲利倍蓰，看到《鑰》出版之後，重施故技，盜印了五萬本，估計一定又可以發一筆財，想不到結果竟因市場滯銷而至於破產，也可算得天道好還了。

史佗夫人在《黑奴籲天錄》之後又寫過許多作品，但其中祇有一本書涉及黑奴問題，即《慘澹的沼澤故事》，主題在於顯示蓄奴制度對於白人的惡劣影響。這本書於一八五六年出版，四週之內銷售了十萬冊，在當時也算是相當可觀；不過它始終遠不及《黑奴籲天錄》的紀錄。本書中對於南方貧苦白人的生活，以及大農場的描寫，頗爲生動；不過，全書中缺少一個像老湯姆那樣能夠贏取讀者同情的主角。

史佗夫人享壽八十五歲。成名後的三十年間，她平均每年要出版一部作品，其中有小說、有短篇、有傳記、有宗教性的論文。在南北戰爭期間，她最大的貢獻是發表了一封致英國婦女的公開信。提醒她們在八九年前對於《黑奴籲天錄》的熱烈反應；然後就南北戰爭的是非曲直加以剖析。在這封信發表之後，全英各地舉行了多次群衆大會。當時英國的輿情本來是同情南方的；而南軍方面也的確希望能得到英國財力物力上的支援。史佗夫人這封信扭轉了英國的民意，使北軍減少了外來的阻力，終能獲得勝利。所以，史佗夫人的一枝筆，眞可謂「橫掃千軍」。

促發美國的良知

史學家孟羅（Kirk Monroe）曾撰文評論史佗夫人在歷史上的地位說：「史佗夫人非僅是全世界最著名的婦女之一，而且，當美國面臨歷史上最嚴重危機的時期，她的影響大於任何人，而及於每一個美國人的命運……當然，廢止奴役制度並不是而且也不可能是由一個人獨力完成的。但是，《黑奴籲天錄》這本書確曾發生過最偉大而又無遠弗屆的影響。」

《黑奴籲天錄》反映了一個時代中最嚴重的問題，影響了一個國家整個的命運。如沒有林肯總統的高瞻遠矚毅然決然地決定釋放黑奴，則美國在世人心中的道德地位無以保持，無論這個國家是如何富而且強，皆無足以使世間嚮往民主自由的人們讚美尊敬。而且，以目前黑白糾紛之嚴重情況看來，由於黑白的衝突，自由人道與橫暴壓制之間的衝突，美國也許早就無以爲國了。

由於《黑奴籲天錄》這本書，促發美國人——也許不止美國人民——良心的覺醒，同時也爲後世的小說家留下一個典型。一個偉大的小說家，應該有悲天憫人、痌瘝在抱的胸襟。道德使命並不能使一部作品必然成爲偉大的不朽之作；但是，完全缺乏高尙的道德目的之作品，則常常不免流於細瑣、卑下，與人生脫節而與草木同朽。一個作家不應該逃避人生，更不應該逃避人生中的重大問題。《黑奴籲天錄》的例證似乎值得我們深思。

病態的預言家

馬克思及其《資本論》

一九一七年，列寧在蘇俄建立了世界上第一個共產政權。半個多世紀以來的發展，證明了這個共產政權的成立，成爲歷史上最大的禍患。她一方面運用共產主義的謬說蠱惑人心，另一方面又沿用帝國主義的巧取豪奪，擴充勢力，逐步進行其赤化世界的陰謀。

從列寧以次各國共產黨徒，都以馬克思主義者自命。馬克思（Karl Marx, 1818-1883）是他們的「祖師」，《資本論》（*Das Kapital*）是他們的「經典」。

《資本論》第一卷於一八六七年出版。到一九六七年時，世界上有九億以上的人口，暫時被關進鐵幕之中，遭受共產政權的壓迫；推原其故，《資本論》的作者馬克思不能辭罪魁禍首之名。

歐美國家若干高級學府中，曾將《資本論》列爲一個研究項目，譬如芝加哥大學就是一例。有人質問該校校長赫欽斯博士爲何如此，他回答說，「我們的醫學院裡也在研究癌症。」我們即以要瞭解癌症的同樣心情，在百多年後的今天，來看看馬克思其人的故事與《資本論》其書的內容；看看馬克思爲禍人類者究竟在甚麼地方。馬克思生前頗以一代「預言家」自許，不幸他是從人世的病態，來瞭解人類歷史，來推斷世界前途，因而鑄成了他無法預見的罪惡後果。

爲短命報刊寫稿

馬克思出生於一個動盪不安的時代。當時，法國大革命的記憶猶新，另一場大風暴又即將到來。歐洲各國人民，由於生活痛苦，對於當時的制度，普遍懷有怨恨不滿之心。這種社會心理背景，是馬克思邪說謬論萌芽的原因。

馬克思於一八一八年出生於德國萊茵河岸的德勒爾地方。他的父親是個相當富有的律師。他父系與母系的祖先都是猶太後裔，但當他還在襁褓中時，父母都皈依了基督教。或許由於馬克思本人因種族背景所受到的歧視，終其一生他反而都是反對猶太人的。

馬克思在青年時代，曾先後在波昂與柏林兩地研習法律和哲學，他當時最大的野心是希望能躋身大學的教席。但是，由於他常常發表離經叛道、怪誕囂張的意見，使他自絕於大學之門；乃不得不轉而從事新聞事業。一八四二年有一家名爲《萊因公報》的期刊創刊了。馬克思起初向它投稿，不久就成了這家期刊的主編。由於馬克思論調偏激，並常常對普魯士政府多所攻訐，所以辦了剛滿一年，就維持不下去了。

馬克思不得已移居巴黎。巴黎不僅是有名的花都，也是持有各種不同主張與見解的人們薈聚之所。馬克思在巴黎一面研究社會主義理論，一面爲另一家短命的刊物寫稿，那本刊物叫做《法德年刊》，當時並沒有幾個讀者。不過，馬克思藉此刊物，結交了一些社會主義陣營中的首腦分子。對他來講，其中最重要的一個人，便是後來與他締交終身的恩格斯（Friedrich Engles）。恩格斯也是德國人，家中經營棉紡業，境況遠較馬克思爲佳，不過，他和馬克思一樣對社會主義頗爲沉迷。恩格斯在一八四五年所寫的《英國勞工階級之情況》，可說是爲馬克思的《資本論》作了奠基開路的工程。

《共產黨宣言》鼓動暴亂

馬克思不斷從事反對普魯士政府的宣傳，使得法國無法容忍，乃宣佈他是一個「不受歡迎的外國人」，他祇好逃亡到比利時首都布魯塞爾去住了三年；然後又回到德國潛居了一個短時期。法國一八四八年革命時期，他再度混進巴黎。就是在那一年，馬克思與恩格斯合作，寫出了《共產黨宣言》（*Communist Manifesto*）。在這個小冊子式宣言的「結論」，最足以說明其鼓動暴亂的本意。他們說：

「共產黨員們認爲，隱藏他們的意願是一種不必要的浪費。茲願公開宣佈，他們所有的目標，惟有使用暴力推翻整個現有的社會秩序，始能圓滿達成。讓統治階級在共產主義革命之前戰慄吧。勞工們除了鎖鍊之外，將不會有任何損失。他們可以贏得全世界。全世界的勞工們，聯合起來吧！」

馬克思就是這樣一個煽動者，凡他所到之處，就不斷撰寫文章，編印刊物，鼓動勞工群起作亂。但在一八四八年與四九年間，歐洲大陸工潮叛亂，全歸失敗，馬克思無可容身，便在一八四九年夏天移居英國，當時他是三十一歲。此後的半生歲月，都在英國度過。

家境貧困度日維艱

馬克思早年結婚，他的妻子衛斯伐蘭（Jenny von Westfalen）是一普魯士官員之女。她在婚後受盡貧困飢寒之累；不過四十年間她倒始終伴隨在馬克思的左右。他們生過六個兒女，祇有三個長大成人；三人之中後來有兩個都自殺而死。這樣貧病交加的生活，無疑影響了馬克思對世界的看法，從而引發了他暴烈偏激、泯滅人性的主張。馬克思一家人倖免於饑餒流離，主要是靠恩格斯不斷的接濟。他自己僅有的固定收入，是每週一枚金幣的稿費（合二十一個先令）。說來很可笑，這筆稿費是《紐約論壇報》所付，而論壇報以共和黨爲後盾，在當時，是代表資本家立場的。

馬克思一家住在倫敦的索赫區。雖然他一直在貧病中掙扎，但對於宣傳所謂社會主義的狂熱始終不改。年復年年，他埋首於大英博物館中，致力搜集資料，有時一天要寫作十六小時。由於要應付一家生活，有時又爲疾病所擾而不得不中斷，所以馬克思費了十八年時間，才完成了他所要寫的書，也就是爲共產黨徒們奉爲教條的《資本論》。這十八年間，全靠恩格斯支持他一家人生活，因此恩格斯後來對他這部書能否完成，已經毫無信心了，他曾說，「等這書印出來之後，我一定要大醉一場。」兩人一提到《資本論》，都叫它「那本該死的書」；而馬克思本人更承認，對他來說，那本書「完全是一場惡夢」。

在這一時期，有一件事情的發生對馬克思頗有重要影響，那便是一八六四年「國際工人聯合會」的成立，這一組織的目的，是要將世界上的勞工階級「團結起來」。馬克思雖不公開露面，但他在幕後操縱，左右一切。這個團體的規章、計畫、宣言、文件等，幾乎都出於他的手筆。但這個團體並未認眞爲勞工謀福利，而祇是進行爭權奪勢的政治鬥爭，內部派系傾軋十分激烈。在一八七一年巴黎公社垮台之後，這個「聯合會」也繼之解體。其後，由所謂「第二國際」接替。第二國際是由西方國家許多社會主義團體的代表所組成，再後又有所謂「第三國際」，也就是「共產國際」，便完全是由俄共運用的世界性統戰工具了。

在一八六六年尾，馬克思的《資本論》第一卷初稿完成，送往漢堡付印，到第二年秋天才告出版。《資本論》出版到一九六七年恰好是一百年，便是以第一卷出版時間爲準的。

《資本論》原文是用德文寫成；第一卷共七八四頁。第一個英譯本直到二十年之後於一八八六年才出現。除了德文原本，最早的外文譯本，便是一八七二年出版的俄文版。這倒與以後共產黨能在俄國得勢猖獗的情形，暗相吻合。

在馬克思的時代，英國正是資本主義社會的主要代表。因此，馬克思在《資本論》中討論到經濟問題時，幾乎完全取英國情形來做爲說明。各種觸目驚心的例證的確俯拾即是，因爲在維多利亞女皇統治時期的中葉，資本主義在英國可說正演變到最壞的階段。尤其在各工礦社區，勞工們生活的情況令人慘不忍睹。馬克思就把這些情況引用在《資本論》中，而他所引用的都是英國政府發表的官方報告。譬如說，婦女沿著運河兩岸拉縴，又像牛馬一樣的爲煤礦拉運煤的車。還有那些在紡織廠裡的童工，最小的祇有九歲，可是他們也和成年的勞工一樣，一天竟要作十二到十五小時的苦工。自從實行日夜班輪流工作以來，童工宿舍裡的牀舖便永遠是「溫暖」的，因爲有不同的小孩子輪流到同一牀上睡覺。肺病和其他因職業引起的疾病流行，在女工和童工中死亡率極高。

對於這種悲慘的情況表示抗議的，當然不僅馬克思一人。當時很多人道主義者，如小說家狄更斯（Charles Dickens）、藝術批評家羅斯金（John Ruskin）和史學家卡萊爾（Thomas Carlyle）都曾寫過許多文章，大聲疾呼要求改革。英國議會在輿論的督促之下，也亟於尋求經由立法而實現改革的途徑。所不同者是，這些人是要求改革這種病態；馬克思卻要利用這些病態，作爲他推翻既有的社會秩序之跳板。

僞科學的唯物辯證法

馬克思對於他所謂的「用科學方法研究經濟與社會問題」，頗引爲自豪。恩格斯曾說，「正如達爾文發現了生物進化論一樣，馬克思發現了人類歷史的進化論。」馬克思則說，所有的經濟現象，「都可像研究自然科學一樣地觀察、並且記錄下來。」所以，在《資本論》中，他常引用生物學家、化學家、和物理學家的研究結論，馬克思顯然幻想他自己能成爲研究社會學中的達爾文或研究經濟學中的牛頓。藉了「科學的分析」爲名，馬克思自以爲他發現了如何將資本主義社會轉變爲社會主義的秘訣。

馬克思所謂的「科學」方法，在誘惑群衆、誤信謬說的宣傳上，頗爲「動聽」。因爲在十九世紀末葉，任何一種學問中提到「進化」，都很容易取信於人。馬克思將他的階級鬥爭史觀與達爾文的進化論巧妙地聯繫在一起，由於人們對於達爾文學說已有深刻印象，因而對《資本論》也就存有一種錯覺；以「科學」爲號召的《資本論》，在達爾文進化論的蔭庇之下，引起當時人的敬意，使人誤信它的「正確性」是毋容置疑的。

在馬克思的徒衆眼中，馬克思的學說對於經濟學、歷史學、以及其他社會科學研究最大的「貢獻」，乃是他發展了唯物辯證法（dialectical materialism），這是個含義相當含混的名詞。馬克思早期寫作中，對於這個已有詳細的解釋；但充分的運用，則始於《資本論》。

大家都知道，辯證法並非他的發明，而是德國哲學家黑格爾（Georg W. F. Hegel）所創。馬克思不過是「借用」改裝而已。辯證法的要義，在於說明世界的萬事萬物經常在變動之中，由「正」與「反」相合，「正」、「反」彼此間所起的反應，成爲由正反合一套變化所引起的進步。譬如說，英國的殖民制度，遭受到北美人民的反對而爆發革命，美國獨立便是其結果。英國政治學者拉斯基（Harold Laski）曾說，「人生的法則，便是各種矛盾之間的交戰；由交戰中的成長，便是其結果。」

馬克思借用了黑格爾的理論，造出他自己的所謂「唯物史觀」，也就是用經濟去解釋歷史的理論。馬克思與恩格斯都曾一再強調說，「一切既存社會的歷史，都是階級鬥爭史。自由人與奴隸、貴族與賤民、地主與農奴、工商業主與小行腳商販，簡言之，一切壓迫者與被壓迫者，都處於互相敵對的立場，彼此間進行著永無休止的戰爭。」

人類豈可與禽獸同群

在悼念馬克思的誄詞中，恩格斯把馬克思與唯物史觀又特別再加一番說明：「他發現了一個簡單的事實，即人類必須有吃有喝，有衣穿，有屋住；然後，他們才會對於政治、科學、藝術、宗教之類發生興趣。這就隱示著，人對物質生產的需要，乃至一個國家或一個時代的經濟發展，構成了國家制度、法律建制、以及藝術的乃至宗教觀念的基礎之所在。」所以，人類爲飲食起居而鬥爭，具有無可匹敵的力量，人類一切活動都由這種力量決定，馬克思的這一假說，將人類貶至與禽獸同群的地步。

照馬克思的說法，整部人類的歷史無非就是一階級被另外一階級壓制剝削。在史前時期，有部落而無階級的社會；但在有史以後，馬克思指出，階級便開始成長。佔人口大多數的「被剝削者」，最初是「奴隸」；到了封建時期，成爲「農奴」；再演進到資本主義時期，便成了沒有財產而靠工資過活的「工奴」。馬克思援用唯物辯證法之後，他深信下一步無可置疑的是工人奮起反抗，成立「無產階級專政」，然後建立共產制，最後回復到如上古一樣沒有階級的社會組織。

在《資本論》中，馬克思詳細陳述何以他「預言」資本主義制度終必毀滅無餘。在此他提出所謂「勞動價值說」，歷來共產黨徒們都認爲這是馬克思對社會科學第二個最重要的「貢獻」。

其實，這個理論也不是他的發明，他是套襲前人之說，亞當斯密（Adam Smith）、李嘉圖（David Ricardo）等都曾說過，勞動力是一切價值的來源。馬克思並曾引用比他早生約一百年的富蘭克林的話說，「通常所謂貿易，除了以勞動交換勞動之外別無所有，一切物品的價值，幾乎全由製造這種物品所使用的勞動力來衡量。」他從亞當斯密作品中，引來有關資本的定義，即「某一特定量的勞動力，經積蓄而保存待用者。」李嘉圖亦有類似的說法。

「剩餘價值」不能成立

馬克思由此發展了他的所謂「剩餘價值論」（theory of surplus value），他這方面的理論，首先發表在一八五九年的《政治經濟學批判》中；後來又經修訂後出現在《資本論》裡面。照他的解釋是：勞工由於缺乏財產，他僅有一種商品可以出賣，那便是他自己的勞力；爲了免於凍餒，他非出賣勞力不可。照現存經濟制度的規律，雇主購買商品當然要按最低價格收買。因此勞力的眞正價值，便一定是比他實際得到的工資爲高。譬如一個每日工資四先令的工人，他在六小時內所作的工就值到四先令，但工廠卻要求他要工作十個小時。所以，那另外多作的四個小時是被資本家「偷」去了。經馬克思這樣一解釋，傳統經濟學上利潤、利息、地租等等，完全成爲剝削工人剩餘價值的產物了，他由之再推論說，整個資本主義制度，「就是用剝削勞工以自肥的罪惡制度」。

馬克思的「剩餘價值論」，在進行赤化宣傳和煽動時，曾發生過重大的影響；但近世的經濟學者則一致認爲這種假說，不能成立，他們拒斥的理由之一，是近代生產大量使用機械，各種商品在生產過程中所需要的勞動力無從計量，譬如符瑞霍夫（Solomon B. Freehof）曾指出，「一位化學家可以完成一種有關土壤的肥料的新發現，這個發現能將一千萬個農民的生產力增加一百倍。這種生產力應該是那位化學家創造出來的。」另外還有一位批評者舉例說，「人下海尋珠，是因爲珍珠價值很高；珍珠卻並不是因爲有人下海尋找它才有很高的價值。」

馬克思「剩餘價值論」的錯誤，就在於他昧於眞理，否定了科學、技術、藝術、或組織等等對於商品的價值或價格，都能有具體的增益。這就過分專斷、盲目了。

經濟學者在過去兩百多年來雖然一直在研究如何衡量價值的方法，事實上至今都未能獲得群謀咸同的一致見解。由供應與需求來決定價值，似乎是大多數人接受的標準。巴湛（Jacques Barzun）認爲，「現代經濟學雖然已經推翻了馬克思的理論，但尙未能以一種經過試驗的科學的理論來代替它。」由於決定價值的因素與過程太複雜，如果要用某一兩種因素來替代「剩餘價值」，難免也要重蹈馬克思的覆轍了。

由「剩餘價值論」，馬克思又引發出他次一論點，他認爲，資本家爲了應付劇烈的競爭，所以，不得不以延長工作時間，減少工資等手段來博取更多的剩餘價值。同時，他要引用更多的機器，增加生產的速度，減少所需的人工，且由於機器操作所需體力較少，資本家乃開始雇用工資較低的女工和童工。《資本論》中對於大量引用機械以後勞工的遭遇有詳細的描寫。「他們都成了機械的附件……」勞工不僅本人終身與機械爲伍，「他的妻兒也被吸引而來，輾轉在資本家的巨輪之下求生。」

所以，馬克思一口咬定，工業界使用機械，雖然使產量增多，工作加速，但並未能使工人的工作輕鬆，反而由於「機器可以代替工人」，造成了大量的失業。再加以剝削女工童工，生產過剩，以及摧殘了工人對生產的興趣等，可以說是「罪大惡極」。馬克思說——

「機械是鎮壓罷工最有力的武器。工人階級爲反對資本家的壓制，常常發生罷工。蒸汽機械自始就是勞工大衆的死敵，它使得資本家更能恣意蹂躪勞工。……我們眞可以寫成一部自一八三〇年以來的發明史，而其發明的惟一的目的，就是在於針對著勞工階級的反抗，提供壓制的武器……」

對「經濟恐慌」的預言

馬克思又將馬爾薩斯（Thomas Malthus）有名的人口論加以歪曲。他說，人口過多乃是走資本主義道路的必然結果。因爲資本主義制度需要一支「工業後備軍」，以便在大量擴充生產時期、新的工業建立時期或原有工業擴建時期，可資運用。照他的說法，這些多餘的勞動力，必須忍受長期的失業。由此，便產生了資本主義社會的嚴重弊端——經濟不景與恐慌。由於勞工所得的工資僅足免於飢寒，他們沒有多餘的購買力去把工廠的全部產品買下來。由是市場上便有滯銷的現象，工廠便必須減產，自然又有更多的勞工失業；由此一惡性循環，遂不可避免的走向經濟恐慌。

馬克思接著又推論，資本家由於產品滯銷，而國內市場有限，便祇好轉向國外尋求落後國家中的市場，在那兒可以將他本國勞工買不起的貨品，在國外脫手。尋求市場以及尋求原料這兩大要求，後來便「導致了國際間的衝突以至帝國主義的戰爭」。

所以，馬克思相信，資本主義發展的最後結果，便造成混亂與危機；而在混亂過程中，逐漸形成集中與獨佔。用他的話說，「一個資本家往往要殺死許多人。」中產階級消逝無蹤了；小規模的資本家都被呑併掉了。到最後，便祇剩下了屈指可數的幾個大資本家，與無產大衆對抗，當那個時期到來時，無產者才算看到「一線曙光」。馬克思認爲，「當貧窮、壓制、奴役、剝削等發生時，勞工階級的怒火也更爲強烈……他們人數越來越多，而且正是按照資本主義生產方式而組織起來，……生產工具的集中以及勞動力的社會化，使得勞工階級與資本家終於到臨勢不兩立的地步，……資本主義者所主張的私有財產的喪鐘響了，剝削者成了被剝削的人。」

照馬克思的「預言」，階級鬥爭將以無產階級的「勝利」而告結束，他的理論是，無產階級在奪得政權、控制國家之後，就要建立獨裁體制。他說，「這是一個過渡階段，走向廢除一切階級之路，並建立一個自由平等的新社會。」

但是，所謂無產階級獨裁專政究竟要經過多久時間，才算「過渡」完成呢？馬克思對此沒有確切的說明。以蘇俄的例子看，經歷了漫長的數十年極權鎭壓，始終並無一絲一毫可以創造「自由平等的新社會」的徵象。而在世界上每一個共產政權，包括中國大陸上的中共在內，都是以「新社會」爲幌子，作爲其獨裁專制的藉口。

事實上，馬克思所謂沒有階級的社會究竟是何種性質，說法十分模糊。他說，在國家盡其敎育與組織的任務後，「政府將自然消失。」此後，便「不再需要用武力和鬥爭，」每個人都可享受和平而豐足的生活，社會的主要目標，便是「使每一個人皆能得到充分而自由的發展。」他並且說，新社會的最高指導原則，是「各盡所能，各取所需。」

從階級社會中的大殺大砍，流血鬥爭，過渡到沒有階級的社會中，烏托邦一樣的天堂，說來太過輕易；馬克思的理論在此暴露了其前後矛盾的弱點。批評家駁斥馬克思「沒有階級的社會」的假說，「其鈍愚之處，猶如維多利亞時代正統敎士對天堂的描寫一樣。」其實，馬克思所謂「沒有階級的社會」，猶如釣魚的餌，或賽跑用的電兔子，祇是誘騙群衆的一種飾詞而已。

否定上帝與道德良心

共產黨徒們奉馬克思的唯物辯證法如宗敎敎條；他們是以宗敎的狂熱來進行種種煽惑。馬克思並曾揚言，過去的一切宗敎，都祇是爲了讓人消極地屈服現實、忍受痛苦，所以，「都是人民的鴉片」，使人民盲目相信命運之說，「因此成爲革命大道上主要的阻礙。」自馬克思以後的共產黨徒都是「無神論者」，他們不但否定有神有上帝，也要否定良心與道德的價值，其故在此。

究竟馬克思的《資本論》中有多少眞理？在過去一世紀來，曾有無數的社會科學的學者、思想家、作家和神學家們討論過這個問題。他所作的種種聳人聽聞的「預言」，在時間考驗之下，都已一一破產了。現在，已沒有任何眞正的經濟學者對於馬克思的勞動價值理論和剩餘價值論，寄予鄭重的考慮了。而剩餘價值論卻是「資本論」理論體系中最重要的基石之一。這一點不能成立，則由此推衍出來的階級鬥爭等說法，自然也失去了依據。共產黨一個相當有名的「理論家」胡克（Sidney Hook）曾說過，「如果階級鬥爭的事實能被駁倒的話，則整個馬克思的理論體系也就一垮到底了。」

自由方可造福人民

馬克思「預言」的另一大錯誤，乃是他無視了人類求進步求改革的能力。他斷言資本主義制度下的國家，勢必越來越陷於貧困、饑饉、災難之中，其勞工階級勢必亦受害最深。

事實則恰恰相反。在工業發達的自由國家，工會組織嚴密強大，政府亦透過立法，多方保障勞工的福利，限制企業界惡性競爭與獨佔。社會福利政策，特別是勞工保險制度的確立，集體談判權利的維護等等，使得今日勞工物質生活大爲改善，社會地位更大爲提高，遠超乎馬克思的想像，更遠勝於那些「無產階級專政」的共產國家。

馬克思輕視一切仁心愛意，所以他對於一切慈善家、人道主義者、救濟組織、社會改良派甚至如防止虐待動物協會之類的機構，一概嗤之以鼻（中共初期鬥爭「善霸」心理背景與此亦正相同）。不過，這些個人與組織，卻從不同的地方貢獻力量，使資本主義制度逐步修正，逐年改進，「溫和的改良」不僅事實上可能，而且極有績效，由於各國政府以及民間的努力，資本主義制度乃能順利演變至今。美國有一個二十世紀基金會（Twentieth Century Fund）的組織，在一九五五年曾發表一項世界性的調查報告說，「在各大工業國家之中，過去一貫奉行私人資本主義最力的一個國家，卻成爲最接近社會主義目標的國家。她供應每一個人以豐足的生活，成爲一個不復存有階級區分的社會；其物質方面的富饒，爲世界上大多數人所無從理解的。」大家都瞭解，這報告中所指，是尊重私有制度的美國，而不是任何打著共產主義旗號的政權。

馬克思曾預言，無產階級革命將先在高度工業化的國家爆發，他認爲其順序是英國、德國和美國。俄國是最不夠實行「革命」條件的。而後來事實的演變，與他的「預言」完全相反。

此外，馬克思又寄望於削弱各國勞工階級的國家民族意識，而代之以「國際團結」。但第一第二兩次大戰都證明了，民族主義與愛國精神都仍具有不可輕侮的力量，甚至當蘇俄被希特勒打得落花流水時，史達林也惟有藉了「拯救俄羅斯祖國」才能稍稍振提屢戰屢敗的渙散人心。

否定人格曲解歷史

至於馬克思的唯物史觀，亦爲近世史學家批評得體無完膚。如張伯倫（William Henry Chamberlin）所指，唯物史觀否定了人格的重要性，這是完全不合科學的。人心不同如其面，縱然是在經濟發展完全相同的情況之下，影響歷史的還有民族、國家、種族、宗教等許多因素。所以他認爲，「歷史上究竟是否曾有一件事能夠單靠唯物史觀就可以得到正確的解釋，極爲可疑。」

但是，由於蘇俄接受了馬克思主義，並賴以作爲赤化世界的藍本以來，有將近九億人口，包括中國大陸在內，都被暫時關進了鐵幕，造成了二十世紀最緊急的問題。馬克思在他的著作中，曾提到沙皇統治的帝俄。他說，「帝俄的政策是不變的。可變者是方法、技巧、和謀略。不過其政策的中心——征服世界，則一成不改。」這種分析，照樣可適用於共產化之後的蘇俄與中共。

自列寧、史達林以至毛澤東，雖然都口誦馬克思主義如聖旨綸音，實際上都並不曾認眞去執行他的學說。他們都祇是政治環境需要或對他們的權力鬥爭有益時，口頭上夸夸其談一番。馬克思生前就曾自嘆，「我不是一個馬克思主義者」。當一九三〇年代後期，史達林血手整肅異己的時候，在歐洲社會主義分子羣中盛傳一句名言，「如果馬克思在史達林統治之下謀生，馬克思也活不了好久。」

《資本論》共有三卷，僅第一卷是馬克思在世時出版的。他於一八八三年病死，第二第三兩卷都由恩格斯代爲完成。第二卷出版於一八八五年；第三卷則在一八九四年，亦即恩格斯去世的前一年出版。這兩卷篇幅頗多的書，主要是在引證第一卷的理論，並涉及「資本之循環」，和「資本主義式的生產過程」等。

馬克思另外還有一本書，即《剩餘價值論》，是他去世後多年由考茨基（Karl Kautsky）根據其遺稿編輯而成，於一九〇五年至一〇年間，在德國出版，也有人把它當作《資本論》的第四卷。

一般都承認《資本論》是一本很難讀的書。除了他荒誕的思想，專斷的假設之外，他所運用的邏輯與修辭，也使其書不堪卒讀。如巴湛所說，「此書寫得很糟，缺乏體系與邏輯，祇是把許多材料勉強放在一起。」還有許多批評家，對於馬克思的強詞奪理，節外生枝，都表示不耐，他雖然打著「科學方法」的旗號，卻是用最不科學的方法寫成他的著作。

關於馬克思其人的評斷，大家都認爲他的偏激狂悖，完全出諸仇世的心理，所以有人稱他爲「陰謀摧毀整個人類文明的猶太人。」另有一位批評家則斥責他「假借追求人類進步爲名，馬克思所造成的死亡、災難、墮落、絕望，比有史以來任何一個人都多。」中國人有譴責一個人的罪行爲「罄南山之竹」也記載不完的說法，馬克思足以當之。

然則馬克思究竟憑了什麼秘訣，能使許多人受惑上當，誤入歧途呢？巴湛認爲，馬克思出身不幸，深切體會到貧窮的滋味。同時他又有高度的權利慾，對於一切比他好的人都懷有強烈的嫉妬心。所以，他的「立言」彷彿是站在受苦受難者的一方，以衆生爲芻狗，不惜毀滅人類文明，來滿足他個人的野心。馬克思主義所要打倒的資本主義，如今經過多年來不斷的改革與修正，屹然健在；馬克思主義卻已無法成立，觀乎蘇俄在史達林死後的措施，以至東歐國家都已逐步恢復以利潤爲鼓勵生產的手段之後，更可以證明所謂馬克思主義的完全破產。

〔補註〕一九九一年，蘇聯崩潰解體，東歐各共產國家也紛紛邁上民主化的道路。中國大陸也在「改革開放」的要求下，大大修正了馬列主義的法則。

一支筆勝過聯合艦隊
馬漢及其《海權論》

中國人說到一個人的文章有力量，往往用「有筆如刀」、「氣挾風雷」一類的說法。近代有一位美國作家，他的作品被稱爲「比一支聯合艦隊更爲強大有力」。又說，「超級戰艦都是他的兒女，十六吋口徑巨砲的怒吼則祇是他呼聲的回響。」

這便是艾爾符瑞·馬漢（Alfred T. Mahan），使他享有如此盛名的原因是由於一部書，那便是《海權論》（*The Influence of Sea Power Upon History, 1660-1783*）。按：此書名照字面來譯，應是「一六六〇年至一七八三年間海權對歷史的影響」，似可簡化爲《海權論》。楊鎮甲將軍譯《海軍戰略論》，是馬漢另一著作。

《海權論》被稱爲現代著作中「最富於燃燒性的一本」；而其作者馬漢將軍在造成現代化海軍的成就上，比全世界任何一個人的貢獻都大。就歷史著作來講，恐怕也沒有任何一本書能像《海權論》這樣發生如此直接而廣遠的影響的。

馬漢指出，自有史以來，海權都是統治世界的決定性因素。任何國家要爭霸天下，並造成舉足輕重之勢，且在國內達成最大限度的繁榮與安全，控制海權實爲切要之圖。陸權國家，如果沒有出海口，無論其國土如何廣袤，最後終難免於衰亡的命運。據馬漢的理論，「土地幾乎總是造成阻礙而海洋幾乎總是開放的平原。」一個國家如果能用海軍的力量控制了海上平原，並保持強大的商船隊，則全世界的財富資源，便都可以供她役使。

「最富燃燒性」的人

「最富燃燒性的」馬漢究竟是怎樣的一個人物？其實，從外觀看來，他極不像一個革命者或一個推翻現狀、搖撼和平的人。

馬漢於一八四〇年出生。他的父親是西點軍官學校軍事工程學與土木工程學的教授。馬漢本人畢業於設在安納波里斯的海軍軍官學校，後來便成爲一個職業海軍軍官，輪流在艦上和岸上擔任頗爲單調的職務。其間祇有在南北戰爭期間一度參加直接戰鬥，所以作戰的經驗甚爲有限。然而，他因勤務關係先後到過巴西與遠東，也曾到歐洲旅行，見聞日富，胸襟益廣。

在他完成這些旅行之後，又過了漫長的十五年，馬漢仍沒有甚麼特殊的表現；惟有在一八八三年時，曾奉命寫了一本與南北戰爭期間海軍戰史有關的書，書名叫《海灣與內陸河流》，篇幅不多，當時並未如何引起人們的注意。然後，來了一個機會，使他日後聲名遠揚，並且改變了他的一生命運。當時，美國在新港地方設立了一所國防學院，一位海軍宿將魯斯（Stephen B. Luce）邀請馬漢到該校去講授海軍戰術與戰史。

這正是馬漢鵠候多年的良機。因爲，他在服役中一直鬱鬱不得意，對於海軍中的例行公事，深感厭煩，他的階級不過一名上校（他是在退休之後才被升爲少將的）。因此，到國防學院任教的這項任命，對他來說簡直是天賜良機。

他在正式到國防學院任教之前，先請得了一年的公假，讓他能有充分的時間，去閱讀、去思考、去搜集材料，撰寫講稿。然後，從一八八六年九月開始，馬漢便在一群人數不多的海軍軍官之前，發表了他一連串的講演。這些講稿從整理增刪後定稿，四年之後出版，便是今日世所週知的《海權論》。

馬漢在寫給他在英國的出版人的一封信中曾強調，他使用「海權」（Sea Power）這個名詞乃是經過精心挑選的，因爲把這個名詞放在書名之中，「才能促使讀者注意，並易於流傳。」當然，馬漢使用了「權」這個字，在蒸汽與電力剛剛興起，強權政治正在擴張的時代，等於是撥動了反應最敏銳的一根絃。

《海權論》這本書，是馬漢得享盛名的原因；書中內容是記叙與解釋英國海權自十七世紀中葉到拿破崙戰爭時期崛起海上的經過。

海權的六大要素

馬漢首先提綱挈領地說明了許多享有強大商船團隊國家的興衰的原因，並詳細說明一個國家在海上稱霸的必要條件。照馬漢的說法，這些必要的條件可以歸納爲六項：即地理位置、天然地形（包括天然物產與氣候）、領土面積、人口數量、人民性格與政府的性質。

根據以上這六大要素，馬漢列舉事實，說明英國何以能勝過每一個對手的原因。根據他的解釋，所謂海權，絕不止於是海軍的武力，而應該包括強大的艦隊、商船團以及強大的海軍基地。馬漢寫道：「海權的歷史，就廣義而言，是在使一民族在海上或沿海地方實力強大，主要的是一部軍事史。」然而，他又強調說，海軍、戰爭，以至海上小型的交鋒，都僅僅是爲達到目的所必需的手段。強大的海軍艦隊與活躍的商船團，相輔相成，皆不可少。國家的繁榮即以這兩者的聯合力量爲基礎。

強國的第一條件

談到地理位置，馬漢認爲這是強國的第一條件；他是傾向於島國至上的。照他看，一個島國的地理位置，「既不需要被迫而在陸上自衛，又不需要經由陸上去擴張她的領土，」與那些大陸國家（或疆域中有一面是陸地的國家）來比較的話，島國實在佔盡了便宜。他舉出英國為例，來與法國和荷蘭相比較。在荷蘭近代史的初期，她必須保持一支強大的常備陸軍，並且不斷對外作戰以維護獨立。這就使得荷蘭財源枯竭，國力不堪負擔。法國也曾因為將其人力物力同時用於建立海軍與進行陸上擴張，備多力分，國勢乃致削弱。法國地位尤其有一更大的不利之點，那就是她的國土面臨大西洋與地中海，使得法國無法使用一支聯合艦隊。馬漢又指出，美國由於地理位置在兩大洋之間，所以也有與法國相同的弱點。他認為最理想的是國土居中，在靠近其主要貿易通道上，有良好的港口與強大的海軍基地，用以對抗外來的敵人，這將是極重要的戰略資產。他再舉英國為例，由於英國能控制英法海峽與北海上的貿易通道，所以能享有絕對的霸權。

第二個要素是地形結構。馬漢說，「一個國家的海岸線是其疆界的一部分；凡是一個國家，其疆界易於與外界接觸者（在此一情形下即指海洋），其人民便較容易向外發展，與外面的世界相交往。」同時，為數甚多的深闊的港灣，也很重要。譬如以英、荷兩國為例，都是天然條件並不優厚，土壤貧瘠，氣候不良，所以這兩國的人民都比較樂於向海上找出路，向國外求發展。這是造成海權國家的條件。至於法國和美國，則都由於國內土地肥沃，物產豐饒，對於航海事業均不甚熱心。這種情形，至少在馬漢所評論的那個時代，是極為正確的。

第三個也是最後一個天然條件，足以影響一個國家發展成爲一個海權國家的因素，那便是國家疆域的大小。不過，馬漢所說的疆域，並不僅是指通常所說的國土面積總共佔多少萬平方哩，而是指其海岸線的長度以及其各港灣的特性。一個國家人口的總數，與海岸線總長度的比例，具有極大的重要性。馬漢曾舉出美國在南北戰爭期間交戰雙方的情形來說明：

「如果美國南方人口數目之多，與其好戰的情緒成正比，而且海軍的實力能與其他資源狀況相稱的話，則以南方海岸線之長，港灣之多，都足以成爲作戰時極有利的條件……然而，南方不僅沒有海軍，不僅其人民都不願到海上去……更由於南方人口數量根本與其所要防守的海岸線長度是不成比例的。」

國民的海權意識

在檢討了三項天然條件之後，馬漢再繼續討論一國國民及其政府與發展海權之關係，第四項要素重點仍是放在人民的數目上；不過，在數目中間要再加區分，馬漢所論，「不僅是籠統的人口總數，而是指其人口中在海上生活，或至少有志於前赴海上工作的人數。這個數字無論是建立強大海軍或商船團，都是必需的。」

關於這一點，馬漢舉出英國與法國爲例。法國人口的總數原較英國爲多。但是英國人樂於航海、經商，並且富有冒險精神，因而與法國之以農業人口佔絕大多數的情形相較便佔了上風。馬漢的結論說，「一國之中，有大量人口樂於從事與航海有關的工作，乃是成為海權國家的重大因素。在昔如此，而今亦然。」他認為，美國在這一要素方面的缺欠，情況嚴重，頗為可悲。美國在十九世紀末葉以後逐漸發展海權，如今成為海上最強的國家，未始不是由於馬漢的激勵所賜。

馬漢所說的第五個因素，是國民性格以及其對於發展海權的態度。馬漢在書中指出，「古今幾乎皆無例外，凡是樂於經商的民族，往往是使一個國家至少一度成為海上強權的特別因素。」譬如說，英國與荷蘭雖然常常被稱為「小店主的國家」，實際上這兩個國家由海路對外貿易所獲得的權益和利益，遠勝於四處掘金礦的西班牙人和葡萄牙人；更非那些怕擔風險，吝於在海外投資的法國人所可望其項背。馬漢說，「樂於對外貿易的傾向，便包括國內必須生產某些物資以便輸出，這是發展海權國家最為重要的一種民族特性。」因為要對外貿易，所以就一定要發展航海，建立海權，這自是明顯的道理。

馬漢並且相信，一個民族的「天才」也很要緊；此處他所說是指建立一種健全的殖民地體制的才能。在這方面，英國人又遠勝於法國人，「因為美國的殖民者很自然而且很自願地樂於定居在新的殖民地上，並且使他自己的利益與殖民地的利益融合一致；雖然他對於祖國的眷戀無時稍減，但他卻並不急於回歸故園。」法國的殖民地一般皆不及英國殖民地經營得法；西班牙亦然。西班牙的態度，是但求儘速壓榨新殖民地財富，而不願發展當地的資源，近似殺雞取卵。當然，殖民地制度根本是一應該廢棄的制度，但比較言之，英國對殖民地的經營，計畫比較長遠，爲其他殖民國家所不及。

政治制度與海權

最後，馬漢考慮到政府的性質與制度，對於發展海權的關係。他認爲，「政府的形式與統治者的性格，對於發展海權具有極顯著的影響。」馬漢雖然在基本上是擁護民主政治的，但是他也承認，「暴君當政，由於能速作決定且貫徹執行，有時反而較自由民主的遲緩程序更能實現大規模的海上貿易與精良的海軍。……不過，其困難在於一旦那位當政者去世，難免就人亡政息，一切成就相偕俱去。」在馬漢看來，惟有英國的情形不然。英國早在任何現代國家之前成功地達到了海權的高峰；因此，馬漢認爲對於英國的政治制度應加以特別注意與研究。在歷史上，幾乎每一任英國政府都志在控制海上的霸權，已達數世紀之久。不論甚麼人是在位的君主，也不問甚麼政黨是執政黨，英國人已經充分認識了英國必須保持海軍絕對強大，對於國家的基礎與前途，具有無比的重要性。

在從歷史事實中討論了各種政府措施，與其人民在海上謀生的影響之後，馬漢將政府的影響歸納爲兩類：一在平時，一在戰時。

「在平時，一國政府可以按照其政策，輔助民間工業的成長，並鼓勵其向海外冒險謀利的打算；如果國內並無此等企業，政府就應首先倡導，創辦那些工業，振興對海外的貿易。另一方面，政府可能由於錯誤的措施而影響或阻礙了人民自行創業追求進步的發展。」換言之，政府的輔導與管制，都要做得恰到好處。

第二，談到戰時，則海權取決於政府的態度，在建造、裝配，並適當地維護「一支武裝的海軍，其規模應與其貿易和航運等利益相稱。」同樣重要的是「保持適當的海軍基地遍佈在全世界相距遙遠的地方，如此則爲和平目標的商船團，就一定有武裝的海軍艦艇在後面保護。」馬漢發現，美國在這方面顯有弱點，因爲美國沒有殖民地式的和具有軍事性質的國外海軍基地。這種情形在第二次大戰以後已有改變。特別是由於航空母艦與核子潛艇的大量出現，使得海外基地的需要相對減低了。

分析百餘年戰史

馬漢在提出了影響海權的六大因素後，乃就歐洲一百多年間（自一六六〇年至一七八三年）海戰的史實，詳加分析。《海權論》其餘的部份便都是戰史的檢討。

爲了背景說明，馬漢先敘述了十七世紀末葉歐洲的一般情況，就中對於西班牙、法國、荷蘭與英國說得尤其詳細。這幾個國家也就是後來爭奪海上霸權的主要國家。在馬漢的心目中，那一段混亂時期的歐洲歷史，大部分就是西方列強爭奪海權的歷史。他的戰史檢討，始於查理二世的「荷蘭戰爭」，他強調英國的商業利益，與西班牙的「王位繼承戰爭」牽涉甚深；戰爭的結果使英國成爲地中海的強國，奪得了直布羅陀海港與馬洪港。在「七年戰爭」之中，伍蘭甫的勝利是由於艦隊爲後盾，打開了聖勞倫斯水道，阻止了法軍增援部隊的到達。在美國大革命時，海權的基本意義也曾明白地顯示出來。當時英國海軍軍力分割，無法對付法國與西班牙的聯合武力；因此，美洲的十三州殖民地才能夠乘時崛起，爭取獨立自由。

馬漢的貫串全書的主要理論是，在海權與陸權之間，嚴密徹底的海軍封鎖，證明遠較一支常勝的陸軍更具有決定性的力量。

馬漢的主要傳記作者普樂斯敦上校（W.D. Puleston）曾說，「馬漢爲了使他所寫的每一次海上戰役都能詳盡確實，曾費盡一切的心力。譬如寫到使用帆船作戰的時代，他就不辭勞瘁，從頭去學習用帆行船的方法，而且還要學習許多舊式的航海用語的意義，那些名詞都是帆船時代的產物，早在他還在海軍官校做學生時就沒有人用了。」

馬漢在他的自傳中也描敘過他爲了寫《海權論》所下的種種準備工夫，譬如用紙做的船艦模型，裝上帆之後，「重演」海戰的實況，藉此可以使他動筆時更能有眞實感。

馬漢寫《海權論》一書的主要目標，在他致書舊日長官魯斯上將時曾說得很清楚，他是要「寫一本批判性的海軍戰史，而不僅是一部海軍大事的編年史。」也可以說，此書的目的之一，是在指明海軍史與政治史之間互爲影響的關係；因爲馬漢深信，凡是能夠控制海洋的國家，便會成爲一個經濟上的強權，居於主宰世界大勢的地位。所以，以英國爲例，在與她爲敵的國家都漠視海軍的重要性時，獨有英國傾其全力，苦心經營，因而當法王路易十四和拿破崙的肆意擴張，不可一世之時，惟有英國能挺身而起，力挽狂瀾。照馬漢的說法，是英國「拯救了文明免遭毀滅。」

最寶貴的「預言」

《海權論》這本書，一經出版立即引起全世界的注意與讚賞；有一奇怪的現象是，在歐洲所引起的反響比在美國反而熱烈得多。這本書出版後不久，就先後有了德文、日文、法文、義大利文、俄文和西班牙文的譯本。書的問世，使得主張海軍應大加擴張的人們猶如「增加了新的武器與彈藥」，格外振振有詞——尤其在英國、德國和美國，被人引述最多。

一本書的名聲越響亮，批評者自然也就越多。其中有一個問題頗值得玩味，就是：如果馬漢的書是在不同的時代，不同的背景之下提出，是否也會發生如此廣遠的影響。

馬漢的書可以說是適逢其時。正符合當時列強爭雄，大家都想要獨霸一時的時代風氣。所以馬漢之強調海權重要，好比是播種在肥沃的土壤中。當時，列強爭相擴張海軍，形成了激烈的競賽，同時，又互相競爭去開拓新的殖民地。所以，馬漢的書一出來就被人當作最寶貴的「預言」了。他列舉各種官方文件作爲論辯的證據，以說明任何國家的福利，都以擁有海權爲先決；這些論據正好爲各國政府對其已經採行的或正在考慮中的擴張政策找到了合理的根據。有位英國作家說，馬漢的書「猶如火上澆油一樣，使每一個地方擴張殖民地的主張都振振有辭。」

在英國，批評家們都向馬漢喝采，認爲他的《海權論》乃是讚揚「英國偉大的福音。」普羅斯敦更指出，他這本書「簡直好像是應英國內閣之命而寫的一樣，因爲書中明白支持英國內閣所有的願望。」一位英國的海軍將領說，對於自一九〇〇年之後英國海軍實力之增強，「我們既不感謝保守黨，也不感謝自由黨；除了馬漢之外，我們誰也不感謝。」

當馬漢於一九一四年去世時，《倫敦郵報》（*Londen Post*）曾著論追悼他說，「英國對於這位美國偉人負下了重債，而且可能是永遠無法淸償的債，因爲，他是殫思竭慮使英國海權哲學成爲制式化的第一人。」

當馬漢寫《海權論》的時候，値得注意的現象是：英國海軍正因財政問題而受到漠視，人員數額縮減至極限，其實力疾速削弱，已不能與法國和義大利建置新船艦分庭抗禮了。當時英國的船艦中，竟有三分之二未曾裝甲。所以馬漢強調海權的重要，而且一再強調英國增強現代化艦隊的必要性，都是切合時宜之舉，對於英國海軍後來的改組與強化，皆甚有貢獻。

當馬漢於一八九三年和一九〇四年兩度赴英訪問時，英國人對他的崇敬愛慕，流露無遺。他曾應維多利亞女皇與首相大臣的國宴，且是英國陸海軍俱樂部中正式設宴款待的第一個外國人；更難得的是，牛津大學和劍橋大學竟在同一個禮拜之間，致贈他榮譽博士學位。

有位批評家認爲《海權論》本是專門寫給英美兩國的人們閱讀。但事實上不然；他的書雖然用英文寫成，但很快就有了各種文字的譯本，德國和日本受這本書的啓迪與刺激尤大。德皇威廉二世在讀過他的書之後寫出內心的觀感，「我們的前途在海上，制海權必須在我們的掌握之中。」馬漢的書引發了德國軍政界建立新海軍的靈感。馬漢的另一位傳記作者曾寫道，「現有充分的證據顯示出來，馬漢在臨終前的幾個月中，爲了戰爭（指第一次大戰）深爲煩惱，特別因爲他自己曾在無意中刺激了德國海軍的成長。」

在日本的情形亦復如此，當時日本艦艇上每一位艦長都配發一本《海權論》，作爲他必需的裝備之一部分。日本人急於學習西方的方法，因此便紛紛與馬漢通信，向他請教應該如何著手建立新式的海軍。艦上大砲的口徑應該多麼大小等問題。日本軍方曾擬以重金禮聘馬漢擔任海軍顧問，被馬漢委婉地推脫了。然而，日本軍方就從他的著作中得到許多理論的根據，他們亦步亦趨，一一付諸實施，因而日本不久便成爲遠東地區實力最強的「海權國家了」。

在世界列強之中，馬漢最迫切盼望他的書能發生影響的，自然是美國。但事實上美國卻遲遲不曾採納他的主張。馬漢深信，美國必須與其他列強去競爭海外的市場；建造強大的海軍，取得海外的海軍基地，最好能在西半球以外的地方取得新的殖民地。他在那時便已主張，美國應合併夏威夷，並將它做爲重要基地。他更指出，加勒比海與美國關係密切的程度，與地中海對歐洲的關係一樣。而它對美國的重要性，待巴拿馬運河完成後自當更爲加強。在《海權論》全書中，作者對於美國寄予特別的注意，並且分析了美國成爲一個海權國家所具有的潛力。普魯斯敦在馬漢的傳記中寫道，「馬漢寫這部巨著，目的在重燃起他的同胞們對於發展海權的熱情。他相信美國人民一直過分熱中於向大陸的內地去發展，因而不必要地拋棄他們原有的一項偉大的遺產。他不要他的祖國效法路易十四時代的法國，後來成爲一個陸權國家。」

影響美建軍大計

馬漢的理論，使得兩位居於關鍵地位的大人物改變了態度；一是老羅斯福（Theodore Roosevelt），一是洛奇（Henry Cabot Lodge）。老羅斯福總統在白宮，洛奇在參議院裡，都成爲最熱心於建造強大海軍的贊助人與鼓吹者。老羅斯福在馬漢的著作中，找到了他的「巨棒」政策最完美的表達方式；他就引用馬漢的海權理論幫助他贏得美國輿情的支持，使他在海上擴張的政策獲致民意爲後盾。同時，在一八九○年代美國開始建造規模龐大的海軍，其間所受馬漢理論的影響，是十分顯然的。

馬漢自《海權論》出版而一鳴驚人之後，又不停地發表了若干本專書及雜誌上的論文。他所寫的書籍和論文選集，共達二十卷上下，尚有許多期刊論文未及收入。其後他並動手寫一套《海權叢書》，其中最引人注意的是《海權對法國大革命與王朝的影響》，所討論的時間起自一七九三年，止於一八一二年。有人認爲這本書比《海權論》更爲周詳，引用與考訂官方文件也更爲矜愼。他還寫過海軍名將納爾遜等人的傳記，及《海權對一八一二年戰爭的關係》等書。

馬漢自認他對於海權的觀念並非他個人的創見，他舉出像培根（Francis Bacon）和拉禮（Sir Walter Raleigh）都曾在比他早三個世紀時就寫過這個題目。比他們更早的則有希臘時代的學者如修昔底地（Thucydides）、克爾柯斯（Xerxes），以及齊米斯多庫斯（Themistocles）等人，也都在他們的著作中強調過海權觀念的重要性。然而馬漢的成就與影響都超越前人，這是由於他採取了一種特殊的方法，也就是他自己說過的，「對歷史加以分析，由連續若干年的當代重大事件之中，尋求答案以說明控制海權對某些問題所能得到的結果。……在此範疇中似乎一片空空，對我，等於是天賜的良機。」有些史學家認爲，馬漢對於歷史的看法未免失之過分褊狹，忽視了其他許多影響歷史發展的因素；不過，他的確對於政治學和經濟學開拓了新的遠景。

馬漢的著作在當時以及以後的百年間，都有極大的影響力與實用性。然而由於科學技術的進步一日千里，是否他的學說已經全落伍了呢？譬如說，空權的發展，包括原子彈與氫彈在內，是否都已駕乎海權之上？專家們在這些問題上意見並不一致。在第二次世界大戰期間，海權曾負起極爲重要的任務，但是海權威力的發揮，就必須與空權密切配合；海上的戰艦如果沒有空中的掩護，便成了最容易遭受敵方攻擊的目標。二次大戰之後威力更大的核子武器發展以來，似乎給海軍的前途投下了陰影。一枚威力強大的炸彈，可使集中的艦隊毀滅或至少喪失其作戰力。不過，蘇俄在一九六〇年代努力建造潛水艇，美國大事增建航空母艦，都顯示即使在原子時期，海權仍有其重要性，不過不再似馬漢著書當時那樣具有決定性了。

照學者們的判斷，做爲一個歷史學者，馬漢身後恐無法如他在世時享名之盛。他的成就與其說是一個史學家，毋寧說是一個宣傳家。當馬漢逝世之時，美國確已達成了他鼓吹的目標——建立強大的海軍，修建巴拿馬運河使美國海軍艦隊易於調動，在拉丁美洲加勒比海與東方的太平洋中取得海軍基地。他並且看到他的哲學果然贏得勝利——「誰統治海洋，誰就能統治世界，」因而使列強各國瘋狂地擴充海軍。有一位批評家指出，「歷史上從沒有一個人像馬漢這樣直接而有力地影響到海軍的建軍原則，以及那麼多國家的國策。」另有一位法國軍事家說，馬漢在他在世之時，便「深刻地修正了他自己也生活在其中的歷史方向」。單憑了手中的一支筆和頭腦裡的思想，掀起了這樣重大的變化，馬漢及其《海權論》自然要在歷史上佔一席地位了。

心臟地帶與世界島

麥金德及其《地緣政治學》

被稱爲「一支筆勝過聯合艦隊」的馬漢將軍，以《海權論》一書，激發了列強爭相擴展強大海軍的企圖，從而影響了現代歷史的方向。可是《海權論》的體系在馬漢筆下建立起來之後，不過十年多就因受到兩個新因素的影響而聲光大減。

這兩個新的因素，一是一九〇三年美國的萊特兄弟製造飛機，首次試飛成功；另一個則是一九〇四年英國地理學家麥金德（Halford Mackinder，1861-1947）所發表的一篇科學論文，此人後來被尊崇爲「地緣政治學之父」。這兩件事情發生之當時，世人都沒有體會到它們的重要性。然而，由於這兩個新因素的作用，終於使得整個地球的面目爲之一變。

一九〇四年一月廿五日，英國皇家地理學會在倫敦舉行大會，麥金德在會中宣讀了他的有名的論文〈歷史中的地理樞紐〉（The Geographical Pivot of History）。在那樣一個學術環境中，提供一種具有革命性的理論，似乎是難於想像之事。麥金德這篇論文，印刷出來一共二十四頁，祇不過是一本極普通的小冊子而已；但他以深刻謹嚴的方法，剖析了地理與政治之間的關係，由過去到將來，條分縷析，由而引發了新的觀念，使得全世界的軍事政治領袖以及經濟、地理和歷史學者們的思路，都受到極大的震撼。

到了第一次大戰結束之時，麥金德將其論文中所提出的主張，再予擴大充實，成爲另一本著作《民主的理想與現實》（*Democratic Ideals and Reality*）；書中與其論文中的基本意見一致，並無任何重要的修正。這本書與他的論文，被稱爲現代「地緣政治科學」的基石；所謂地緣政治學，乃指由地理學與政治學結合而成的一門學問。

有限空間的理論

麥金德宣讀他有名的論文那一年，正當四十三歲的盛年。他的父親是英國鄉下的醫生。他於一八七四年入伊普薩姆學院讀書，然後到牛津大學深造。由於他在學時成績極爲優異，畢業後任地理學講師，以兩年時間分赴各地，作爲牛津大學巡迴講學運動的一部分。之後膺聘爲牛津大學正式的講師，仍教授地理學；由於他使用的教學法頗爲生動，吸引了數百青年學子受教於門下。

又因他的奔走與發動，促使英國皇家地理學會同意撥出基金，在牛津大學成立了全英國第一個地理系，並聘麥金德爲第一任系主任，時在一八九九年。他一方面致力於研究和教學，一面仍能從事戶外運動，尤其是爬山。他是攀登了東非洲肯亞大山的第一人，在當時是轟動世界的新聞。

他在牛津任教時，又兼任倫敦大學經濟地理學的教授。由於這層關係，使得他自一九〇三年到一九〇八年間，擔任了倫敦經濟學院的院長。

麥金德對於實際政治，亦頗有興趣。一九一〇年至一九二二年之間，曾數度當選爲議會中的議員。

儘管他從事多方面的活動，但他生平主要的志業仍在學術，尤其是對於用科學方法研究地理學，用力最勤，用他自己的說法，是「由人的觀點」去研究地理學。

麥金德在他的論文中，首先提出了有限空間的理論，這個觀念在四十年之後也就是二次大戰期間，因美國共和黨總統候選人威爾基（Wendell Willkie）提出「天下一家」的口號而大爲流行。麥金德相信，在人類歷史上的「哥倫布時代」，即人類勇往直前，進行地理上的探險與征服的種種壯舉，自哥倫布以後歷時約四百年，到二十世紀開始之時應已告一結束。他說，「在那四百年之間，世界地圖的大要，已陸續完成，而且相當精確。」

在《民主的理想與現實》裡面，他對於上述觀念再作進一步的闡釋說——

「我們近來曾到達北極，發現北極是在一片深海之中；我們又到達了南極，發現南極是在一片高原之上。在獲得這些新的發現之後，可以說探險者的書已經完成了。此後，人類縱使繼續冒險，亦無法再發現廣大而前所未知的肥沃土地或重要的山脈與長江大河，作爲探險的報酬了……傳教士、征服者、農人、礦工，再加上近年興起的工程師，都緊緊追隨著旅行家們的足跡；我們必須記錄下各地政治主權統轄的編年史，然後才能確定世界的疆界。在歐洲，在南北美洲，在非洲，在澳洲，幾乎都沒有甚麼地區無所歸屬的了；要改變領土的主權，除非是在文明國家與半開化國家之間作戰的結果。」

在一八九〇年代，美國有一位著名的歷史學者杜納（Frederick J. Turner）曾發表與麥金德相似的意見。杜納對於有限空間的範圍，定得較爲狹小，他是以美國史爲限的。他說，美國已經無所謂邊疆地帶了；然後他就分析這一現象在美國歷史上的重大意義。麥金德則更進一步，他說，全世界上的所謂邊疆地帶都已經消失了。

麥金德對於他自己的理論可能導致的影響，曾作如下的說明——

「自今而後，在此哥倫布以後的時代，我們勢必要與一個有限型的政治體系相處；而這一體系的規模卻是世界性的。社會力量的每一度爆炸，不再像過去那樣消失在不可知的空間，而是將從世界遙遠的一方獲得尖銳的反應。世界上政治經濟之機體中的脆弱的環節，將因這種爆炸而震恐……人類的每一個行爲，都將得到回響與再回響，環繞世界，交響不絕。」

在我們這個時代，由於具有有限體系的特性，而又由於人的機動性無限，由陸地，由空中，都可以互相接近。因此，在麥金德看來，海權稱霸的時代已經過去了。如果他這一理論是正確的話，他認爲，接下去應該便是陸權時代的到來。這一新的陸權時代的自然中心何在呢?當然是在世界上最大的陸地，也就是歐亞大陸（Eurasia），麥金德把這一廣大地區定名爲「世界政治之樞紐地區」。

歐亞大陸與強權

麥金德在他的論文中，曾使用了五幅地圖來作說明；最後的一幅標題是「強權的天然位置」，描繪出了「樞紐地區」的概貌。麥金德所注視的樞紐地區，乃指歐亞大陸的北部及其腹地，由北極向南伸展到中東沙漠，再西向到達波羅的海與黑海之間的地峽（Isthmus）。

根據麥金德論文中歷史性的分析，歐洲與世界其他各地，數百年來都一直受到來自「樞紐地帶」的壓力。他說——

「正由於外來的蠻族入侵的壓力，歐洲方始得以進入文明時期。因此，我要請大家注意歐洲與歐洲歷史乃是亞洲與亞洲歷史的附屬品。因爲歐洲的文明，就其最眞實的意義而言，乃是純然爲了抵抗來自亞洲的侵略之後果。在現代歐洲的政治地圖上最顯著的對比，便是一方面由俄國佔據了歐洲大陸的一半，另方面是一些較小的國家，由西方列強所分居。」

回溯早期歐洲歷史的興衰變化，麥金德又指出——

「一千年來，一系列精嫻騎射的民族崛起於亞洲，他們經過由烏拉山脈到加斯北安海的寬闊大路，躍馬而經俄羅斯的南疆，直達歐洲半島心臟地帶的匈牙利。在歐洲，爲了要反抗這一股入侵的敵人，乃形成了這一地帶週遭各民族的前期歷史——包括俄國人、德國人、法國人、義大利人與拜占庭希臘人。」

如果從長遠的後果作爲立論的觀點，蒙古民族於十四世紀十五世紀打到歐洲的史實，在當地確曾留下了最深刻的影響。蒙古人的鐵騎，不僅縱橫於歐洲的中原，也先後侵入俄國、波斯、印度和中國。這些侵略的行動，都是自麥金德所稱的「樞紐地區」所發動的，而且，「所有舊世界已定的疆界，遲早都會感受到來自那些草原地帶具有機動武力之民族要求擴張的壓力。」

麥金德將他的理論應用到二十世紀的情勢之後，他認爲，「樞紐地區」的經濟力量與軍事力量都在增長，在世界局勢中所佔的分量也在繼續增加。他從歷史觀點去分析，認爲這種情形的造成是由於「某種持久的歷史關係。」他指出，歐亞大陸這一個「世界政治舞台上的樞紐地帶，任何船舶無法直達其腹地；可是，在古代可任由騎馬的游牧民族馳騁往來，在近代則又有鐵路網四通八達。因此，過去與現在，這個地區都具有極大的機動力，使其軍事力量與經濟力量可以無遠弗屆，不受限制。」麥金德指出，「俄羅斯已經取代了蒙古帝國的地位。俄國四出侵略，對於芬蘭、斯堪底納維亞半島國家、波蘭、土耳其、波斯、印度、乃至對中國，所施的壓力，都已經取代了飄忽如風，四出擄掠的草原民族。就世界全盤形勢來講，俄國佔據了中央的戰略位置，正如德國在歐洲居於中央位置一樣。俄國除了北方以外，可以向任何鄰邦進犯，但也可以受到來自各方的攻擊。」

新月帶與世界島

在「樞紐地區」之外，麥金德又定了兩個「新月地帶」（Two crescents）。在內新月形地帶上，包括德國、奧國、印度和中國；而在外新月形地帶上，則包括英國、南非、澳洲、美國、加拿大和日本。兩相對照，所謂「樞紐地區」的實力，仍遠不足與兩個新月形地帶上的國家相抗衡。不過麥金德指出，「如果德國與俄國結盟的話，便將造成勢均力敵的局面。」他說，如果那樣的話，樞紐地區的國家便將跨越歐亞大陸的邊緣，「使用其強大的大陸資源，致力建造海軍艦隊，如是則一個世界帝國的崛起便將在望了。」

麥金德在他論文的結尾處，特別強調他是以一個地理學者的身分發言。他指出，「在任何特定時期，眞正政治力量的平衡，一方面是由於地理條件的產物——包括經濟的與戰略的要素；在另一方面則要看參與競爭者的人民，他們的相關數量、活力、裝備以及其組織。」照他的估計「地理條件的數量，遠較人的條件容易測度，而且是一恆常不變的數值。」所以，他認爲，那「樞紐地區」所居住的如果不是俄國人而是另外一個種族的人，並不會減少其「樞紐」的價值與重要性。麥金德在一九〇四年時說過——

「我且舉個例子，假定說，中國人經日本人組織起來之後，推翻俄羅斯帝國並征服其領土，他們必將成爲影響世界自由的一場黃禍；因爲他們在廣大的大陸資源之外，又得到了海洋線之便利，那是過去俄羅斯人居住在樞紐地區時所不曾享有的。」

到了第一次大戰結束時，麥金德說，那一場戰爭「增強了而非改變了我原有的觀點。」在《民主的理想與現實》中，他對於「樞紐地區」的觀念再加闡釋，並且給予一個新的名稱：「心臟地帶」（Heartland）；這心臟地帶恰位於他所謂「世界島」（World-Island）的中央。

據麥金德的看法，歐洲、亞洲與非洲不能說是三個洲而應是一個完整的大洲，他定名爲「世界島」。由於人類過去的觀念一直爲海洋所局限，而這一大片土地不可能由水上繞著航行一週，因此過去都不曾將它看成一座「島」。麥金德卻破除了這一習慣上的說法，他指出，「世界島」除了面積特別廣大之外，它也是海洋中的一片土地，與一般的島嶼並無分別。不過，世界島的面積與島上的人口，都超過了世界其他部份。以陸地來說，世界島佔了全世界陸地三分之二，南北美洲和澳洲，以及其他島嶼一共不過佔三分之一。以人口來說，世界島上各國國民佔了世界人口的八分之七。所以，麥金德強調，世界島所在的舊世界，

「是地球上無可倫比的最廣大地區。」

論及「世界島」與其他各地的比例與關係時，麥金德又說——

「世界島，彷彿是立於地球的肩頭——緊靠在北極。由北極沿著亞洲大陸上的中央向南極測量，在西伯利亞的北岸，有一千哩戴著冰帽的海水，然後是五千哩的陸地直到印度的南端，再其後又是七千哩的海洋，到達南極戴著冰帽的陸地。但是，如果沿著孟加拉灣或阿拉伯海的頂點量，亞洲大陸不過是三千五百哩而已。由巴黎到海參崴的距離是六千哩，由巴黎到好望角，距離亦大致相同。」

至於南北美洲和澳洲，不僅面積較小，而且，人力資源與天然資源亦皆遠不及「世界島」之豐富。麥金德問道，「如果世界島全部或其大部分，將來統一起來，成爲一個強大的海權基地，又將如何呢？」雖然在第一次大戰時德國已遭擊敗，但仍有復起的可能。他問，「如果世界島的大部分統一在一個強權之下，並由是建立起一支強大海軍的基地，又當如何？」麥金德警告說，萬一不幸而德國獲勝，則「德國必然要建立在歷史上規模空前的海權實力與強大無比的基地。」

麥金德的「心臟地帶」與他以前所講的「樞紐地帶」擁有的疆界，實際上是一樣的；亦即歐洲與亞洲的中央地帶，遠離海岸，因而不受任何海權的控制。這一地帶，包括了「波羅的海、適於航行的多瑙河中段與下游、黑海、小亞細亞、波斯、西藏、與蒙古。在這一地帶之內，已經包容了布蘭登堡（Brandenburg 係德國東部的一省）、普魯士、奧匈帝國、以及俄羅斯——這個大三角地帶擁有廣大的人力資源。」麥金德將波羅的海與黑海也包括在內，是由於照第一次世界大戰時的情形，這兩處水域非外來的海權勢力所能到達，更不致受到外來海權國家的控制。

麥金德深信，這一片「心臟地帶」便是「世界島」的關鍵地區。這一地帶大體說是由喜馬拉雅山到達北冰洋，由伏爾加河到長江，從南到北是二千五百哩，從東到西也是二千五百哩。由於這一地帶遠居內陸，爲海權勢力所無能染指的。因此，「心臟地帶」如加適當的組織與發展，便可成爲足以左右世界大局的強權之所在地。

他的理論歸納爲簡單的公式，這三句話後來常常被人們引用：

■統治東歐者，即可控制心臟地帶；

■統治心臟地帶者，即可控制世界島；

■統治世界島者，即可控制整個世界。

由以上的見解，麥金德主張，在第一次大戰結束後，應該阻止任何一個國家——特別是俄國或德國——成爲控制「心臟地帶」的超級強權。他建議，應該在由波羅的海到黑海一帶，建立若干緩衝國家。在麥金德的心目中，這些獨立的緩衝國家，包括愛沙尼亞、立陶宛、波蘭、大波希米亞、匈牙利、大塞爾維亞、大羅馬尼亞、保加利亞和希臘——他所建議這些國家的名單，與後來巴黎和平會議的決議大體相同。

不過，與現代史實來對照，麥金德的臆度並不高明。他所建議的緩衝區並未眞正能達成緩衝的目的。德國與俄國先後打破樊籬，重新造成了緊張的局面。

一九四三年第二次大戰仍在進行中，距麥金德逝世之前僅有四年。麥金德第三度檢討了「心臟地帶」的理論。他認爲他的理論「遠比二十年前或四十年前更爲有效。」他並且預言說，「如果在戰後蘇俄竟成爲德國的征服者，則她將被認爲是地球上最強大的陸權國家，而且，她將居於最易防守的戰略位置上的強國。心臟地帶乃是地球上天然造成的強大堡壘。」

支配了納粹德國

最重視麥金德理論的地方是納粹統治下的德國。希特勒手下專門用地緣政治學觀點發表論文的作家浩斯霍弗（Karl Hausnofer）曾說，麥金德有關世界島與心臟地帶的理論，支配了德國的政治思想二十年之久——從一九二五到一九四五年。

浩斯霍弗嶄露頭角，始於一九〇八年，當時，他被派往日本，出任德國參謀總部的軍事觀察員。他集中心力研究遠東問題，一時居然博得了專家之名。由於特殊的語言天才，他能說六種語言，包括中國語、日語、韓語和俄語。他更常常四出旅行，遍遊中東與遠東各地，以獲取第一手的知識。在第一次大戰期間，浩斯霍弗晉升甚速，後以少將退休。自第一次大戰德國戰敗投降後，他改行致力寫作，並在慕尼黑大學任教，主講政治地理學和軍事史。自他的筆下寫成了無數的書籍、小冊式文章，他創造了兩個名詞，成爲納粹思想的支柱。這兩個名詞，一即「地緣政治」（Geopolitik），討論世界政治變遷的動力，一即「生存空間」（Lebensraum），主要在講德國人民需要更多的領土，更多的空間，以便生存與發展。

浩斯霍弗何時才讀到麥金德的作品，現已無可考，可能是在一九二〇年代，但他一經拜讀之後，立即承認麥金德乃是「我思想上的主人」，並公開表示佩服得五體投地。他在一九三七年寫的文章中，讚揚麥金德的論文，是有關地緣政治學「最偉大的著作」。兩年之後，他大力鼓吹德國應與蘇俄結盟，他引述麥金德的議論，並指出麥金德乃是反映英國的觀點——英國最怕的就是德國與蘇俄結盟。浩斯霍弗常常引用歐威德的名言，「向敵人學習是我們的責任。」他曾將麥金德的世界島心臟地帶的地圖重印了四次之多，並且毫不遲疑地承認，他自己有關地緣政治的觀念都是以麥金德的理論爲基礎的。

浩斯霍弗透過了他的朋友海斯（Rubolf Hess），與希特勒結識。希特勒於一九二三年爲啤酒廳事件下獄之後，浩斯霍弗曾數度到獄中探視。希特勒在接談之後，也頗受他的影響，因而在希特勒《我的奮鬥》一書中也融匯了若干浩斯霍弗的意見在內。十年之後，納粹黨掌握了政權，浩斯霍弗儕身於參與決策的內圍。希特勒任命他爲納粹地緣政治學研究院的院長，他網羅各方人才，搜集有關自然地理、人文地理、經濟地理等資料，致力研究地理對民生及文化的影響，尤其是在軍事上的重要性。

浩斯霍弗醉心於麥金德的理論，所以深信德國必須控制心臟地帶。他的藍圖稱之爲「超洲際集團」，這一個集團起自萊茵河，直達長江。在他的計畫中要包括德國、日本、中國、蘇俄與印度，與大英帝國對抗。他的主張獲得德國參謀本部強有力的贊同與支持。一九三九年簽訂的所謂「德蘇互不侵犯條約」，似乎正是將浩斯霍弗的夢想付諸實施。但是，後來局勢突變，希特勒下令對蘇俄用兵，使浩斯霍弗的夢想爲之粉碎。在第二次大戰結束之後，浩斯霍弗及其妻子，雙雙自殺於巴伐利亞家中。

當然，浩斯霍弗祇是麥金德理論的一個「私淑者」；有人因此批評麥金德曾幫助了納粹黨軍國主義的設計，麥金德對此極爲憤慨。他在一九四四年的一次演說中曾說——

「有些謠傳說，我引發了浩斯霍弗的想法，由他再傳導給海斯和希特勒；所以希特勒的某些有關地緣政治學的觀念是從我這兒得到的。這是一連串的三個環節，可是，關於第二個第三個環節，我實在一無所知……我在皇家地理學會的演講是四十年之前的事，當時根本還沒有所謂納粹黨的問題。」

對地緣政治學的重視自不限於德國。俄國人幾乎也像德國人一樣地重視這一門「學問」。莫斯科有一所世界經濟政治學院，便是研究地緣政治學的機構，其主要研究的問題，便是美國與世界島之間的衝突——這世界島也正是蘇俄所要控制的地區。當人們回憶起麥金德於一九一九年所發表的關於俄國的評論時，都會感到十分有趣。當時共黨政權剛剛在俄國立足不久。可是，麥金德預言，「豹子身上的花斑是永遠也不會變的。」他指出：「英美式的政治體制以及國際聯盟式的理想，與在東歐和心臟地帶建立極權統治的政策，是絕對不能相容的，無論這種極權統治是帝俄式的還是布爾什維克式的。」他指出，「布爾什維克式的專政，可能是對沙皇專政的一種極端反動，但是，俄國、普魯士與匈牙利的平原上，由於其社會條件極爲一致，都大有利於軍國主義的推行與工團主義的宣傳。」

忽視空權的潛力

麥金德的理論引起的辯駁甚多，事實上缺點確乎不少。尤其站在現代人的立場去看，麥金德竟完全忽視了空權的潛力，不能說不是一個嚴重的缺點。在他晚年的作品中，曾經承認航空事業與空軍的發展，已經迫使世界形成一種新的統一形式。不過，他堅持說這種發展仍是加強了他「心臟地帶——世界島」的理論。但是批評他的人都認爲，飛機已能橫越大陸和海洋，使世界渾然爲一體，所謂「心臟地帶」的觀念，已經失去了戰略上的重要性。赫瑞克提出的說法最爲有力，他說——

「惟有空權可以阻遏空權……空權根本不承認心臟地帶的觀念……今天的戰略公式是，控制飛機者，就能控制基地；控制基地者就能控制天空；控制天空者就能控制世界。」

自麥金德提出「世界島」理論之後的五十年間，航空工程的發展一日千里。現在不僅有各種長程飛機，又有了各種能在太空飛行的人造衛星，陸地的縱深已經不再成爲一種保障。而且，即以「心臟地帶」而言，如何在空權時代獲得充分的自衛，就是難以解決的問題。這倒正應上了麥金德所說的話，「心臟地帶」可以向任何一方出擊，但也可能受到來自任何一方的打擊。過去，北極那一面是安全的；現在連那一面也可能隨時爲戰略空軍所突破的。

麥金德理論中的另一個大缺點，是他過分強調了歐洲的重要性。其實，當他寫《民主的理想與現實》這本書時，他剛剛經歷了第一次大戰，也看到了美國如何越洋馳援，使民主陣營危而復安的事實。但他對於「心臟地帶」的假說過於執著，始終將新大陸視爲世界的邊緣，「祇不過是舊大陸的衛星。」這種評斷當然是不合事實的。

但是，無論麥金德的理論有多少缺點，他的判斷仍得到有力的理由作爲後盾。蘇俄在共黨攫取政權以來的五十年間，向外擴張的路線，正是以控制「心臟地帶」爲首要目標的。但是，自二次大戰以來，儘管蘇俄已經控制了東歐，而且控制了東德，至今仍未能達成其完全掌握「世界島」的目標，當然更談不到統治世界。

麥金德理論雖有若干瑕疵，但其立論的基本重要性則是不容抹殺的。溫南特（John C. Winant）指出，麥金德是在討論世界問題時，「提供了全球觀念的第一人」。

麥金德的論文，最初的目標是在敦促英國以及其他民主國家的國民，若不徹底瞭解地理的現實條件，則民主制度就無法獲得安全。所以，麥金德對於世界以及各區域的觀念，乃是現代地理學的基礎所在；其可貴亦在於此。

狂人的狂言
希特勒及其《我的奮鬥》

從第一次大戰到第二次大戰之間，在世界政治舞台上崛起人物中，最富戲劇性的恐怕無過於希特勒（Adolf Hitler, 1889-1945）。當他和他的情婦於一九四五年四月三十日自殺於柏林德國總理府的地下室中時，成爲世界大悲劇暫時告一段落的象徵。

希特勒及其徒衆自從一九二〇年代興風作浪以來，到一九三三年，終於使戰敗喪亂之餘的德國，不能不接受由希特勒領導的納粹黨出掌政權。他們的行動引起世界的議論與驚恐。這個政權一朝當政之後，立即以冷酷無情的手段實施高壓控制；一切民主政府所應守的原則被他們徹底摧毀，蕩然無存；不同的見解更是遭到嚴酷的封鎖；教會、工會以及一般民間團體，不是被取締就是由納粹黨人出面「協調」之後喪失了原來的面目。猶太人被殘殺者不計其數。與德國毗鄰的各國，都在不斷受到德國宣傳的威脅恫嚇。納粹德國對每一個鄰邦都有領土要求。

罪名昭彰一本書

其實，以上這些事件，並非孤立的或偶發的。人們如果肯於不憚其煩勞去讀一讀希特勒那本厚厚的大著《我的奮鬥》（*Mein Kampf*），就會發現所有上述的情節，都在書中詳詳細細地預言過。《我的奮鬥》可以說是納粹德國爲禍天下的指南寶鑑。

由於國際版權協定的規定，作者使得《我的奮鬥》這本書的全文僅限於德文版。其他文字的版本都是經過刪節的。不過，也有人認爲，這部書在出版之初，縱令有了英文法文或其他語文的版本，也未必會有多少人對於這本荒唐狂誕、夢囈般的書籍加以重視。因爲，書中所顯示的野心實在太大，大得令人無以置信。

《我的奮鬥》這本書被稱爲「當代宣傳界中的傑作」；同時，有一位法官從法律的觀點來批評它說：「這是二十世紀最爲罪名昭彰的一本書。」實在甚爲允當。此書到了第二次大戰爆發之前，僅在德國境內竟售出五百萬冊。

希特勒與心理學家佛洛伊德一樣，都是在維也納長大的。希特勒在少年時代，便形成了他對人生的印象、偏見與仇恨，這種強烈的情緒，統治了他的一生。他這些想法也便一一在《我的奮鬥》中流露出來。書中開始的幾章，以簡短的文字記述他自己早歲的生涯，看似閒閒筆墨，與後文的關係卻頗爲密切。

希特勒於一八八九年出生於奧地利的布勞腦（Braunau），正好與德國邊界一水相隔。說來奇怪，希特勒總是以德國人自居而不肯承認是奧國人；他尤其看不起逍遙放蕩的維也納人。照他自己的說法，幼年至少年期的生活，充滿了艱難困苦，挫折打擊。他所接受的正規學校教育，到十三歲便告結束；他的父母大約就在那時候去世了。他流浪維也納，原想成爲一個藝術家或建築家，但因爲教育不夠，才華不足，四處碰壁，走投無路。

在維也納的時期，希特勒自稱曾博覽群籍，尤著意於歷史。有一本有關普法戰爭的史書，對他的思想影響最深；由於那本書的關係，使他深以能做日耳曼民族的一份子自豪，並且深信上帝要對日耳曼民族賦予神聖的使命。由此出發，他開始厭惡猶太人，極藐視斯拉夫人以及其他非亞利安種族的人。希特勒斷言：猶太人是一種具有國際眼光的錢魔和剝削者，又常常是社會主義者或共產黨徒。而斯拉夫人則是一種劣等民族，根本沒有他們自己的文化。

由於在維也納時一度與社會民主黨分子合作，使得希特勒非常討厭社會主義與共產主義的宣傳。他一方面學到了左翼政黨糾衆謀亂的種種手段，一方面對於馬克思主義恨之入骨。雖然他自稱讀書甚廣，但是，卻沒有任何證據足以證明他翻閱過馬克思的《資本論》。他對於民主政治的理論與實際的瞭解，亦甚爲粗淺。當他參加過奧國議會之後，便認爲民主政治是「最無效率的方法」。

到了一九一二年，希特勒再也不能忍受維也納的氣氛，便遷居到慕尼黑去了——他稱之爲「完全德國式的城市」。兩年之後，第一次世界大戰爆發了。他興高采烈地投身軍伍，參加巴伐利亞軍團；戰爭尙未結束他已先負重傷，兩度受勳，並由一個普通士兵晉升爲伍長。這個「階級」後來成爲世人對他嘲罵時的一個名號。第一次大戰的結果，德國終於戰敗了。這使得希特勒憤懣萬分；他認爲德國居然會戰敗，應由猶太人、馬克思主義信徒，及所謂和平主義者分子負其責任。戰後，依照和約德國應該建立一個民主的政體，尤使希特勒憤怒。亦即由於這些刺激，使得希特勒決心從政。

希特勒投身政治，是以他回到慕尼黑爲起點。最初，他祇是爲德國軍部擔任一個通風報信的人，拿一點菲薄的報酬。當時有一個規模很小的政團，名稱叫「德國工人黨」，後來又改稱爲「國家社會主義德國工人黨」，也就是日後演化爲「納粹黨」的核心。希特勒被邀參加工人黨，他就欣然同意了。而且，入黨之後不久，就對這個組織獲得了絕對的控制，由他自己發動，廢除了他所謂「毫無意義的」按照得票數多少來決定政綱政策的辦法。該黨的一切計畫，在希特勒的指揮策劃之下，都是以爭取工人階級的同情爲最重要目標，要消滅「國際散毒者」。要取消立法機構；更要緊的是要建立起一種盲目的，不容質詢的服從性，服從黨的領袖——Fuhrer 這個字，也譯爲「元首」，成爲希特勒的專有代名詞。

一九二三年，工人黨擁有黨員二萬三千名，德國名將魯登道夫所領導的一個軍人集團予以幕後支持。當時的史屈斯曼政府政績欠佳，搖搖欲墜，希特勒認爲時機成熟，可以起而攫取政權，於是便爆發了有名的所謂「啤酒廳事件」。但是，這次起事的結果卻因希特勒判斷錯誤而一敗塗地。他手下徒衆橫死於慕尼黑街頭者有十六個人。希特勒本人於被捕後判刑五年，後來減刑爲一年。

牢獄中寫出教條

希特勒被關在巴伐利亞的蘭斯伯要塞裡，獄中無以自遣，乃開始來寫他的自傳。事實上《我的奮鬥》這本書，與其說是寫出來的，不如說是講出來的。當時，希特勒與他忠實的弟子海斯（Rudolph Hess，此人於大戰結束前突飛英倫被扣，戰後以戰犯受審，服刑多年後去世），同被關在一間牢房中。《我的奮鬥》的第一卷，由希特勒口授，海斯直接在打字機上打出初稿來。這本書原來的書名稱爲「對抗謊言、愚蠢、怯懦四年半奮鬥史。」作者講明了是奉獻給在慕尼黑作亂時當場斃命的那「十六位先烈」的。此書的第二卷則至一九二六年始告完成。

杜里斯克斯（Otto Tolischus）曾形容《我的奮鬥》這本書說，「百分之十是自傳，百分之九十是教條，百分之百是宣傳濫調。」這是很公平的考語。到今天我們再來看這本書，實在無法相信何以像這樣一本粗率、矛盾、嚕嗦、重複的書，居然竟能在德國這樣文化程度很高的國家，左右了舉國男女之心，造成了風靡一時之勢，眞有些不可思議。

但是，德國當時的情勢，卻正是使希特勒這一型的人物出頭，《我的奮鬥》這一類的論調得勢的時候。盧爾（Ludwig Lore）對此曾有極透徹的評論說——

「一九三三年之時，德國人民的心情就陷於極易感染法西斯主義桿狀細菌的危險狀態。他們急於尋求一種方式，能回復正常的生活與民族的自尊，但發現每一條道路都被阻於偏見和誤解，環顧當世的列強，祇對於如何壓榨德國的賠款有興趣。德國國內本來可以發生若干作用的各種勞工政黨，已分裂爲五六個互相敵對的陣營。這種種情形又都是在有百年歷史的國家主義高壓色彩的背景之下逐漸惡化起來。德國人民的嚮望，無非祇是企求秩序與安全，而不敢奢望政治自由。他們痛感所謂政治自由也者，不過是聚訟紛紜，流血盈庭而已。希特勒對於這種情形瞭解得最爲眞切，他乃充分利用這種情勢以達到他自己的目的，再加上他驚人的組織力與宣傳力，以及當時德國各大工業領袖們財力上的支持，遂使他脫穎而出。更由於德國人生來具有崇敬權威的習性，遂使法西斯式的領袖權威很容易地建立起來了。」

《我的奮鬥》的主題曲，作者反覆強調者便是種族，種族的純潔，種族的優越——不過，希特勒從來不曾對於種族一詞加以確切的界說。照他的說法，人類區分爲三大集團：第一個是「文化的創造者」，這一集團中祇有一種例證，那便是亞利安民族（Aryan）或稱北歐諾迪克人（Nordic），其實他所指的就是德國人。第二個集團是「文化的傳遞者」，希特勒舉的例子是日本人。第三個集團是「文化的毀壞者」，指的是猶太人與黑人。

希特勒在書裡一再叫囂說，大自然無意強使個人平等，因此也無意強使各種族一律平等。有些種族較其他種族優越。德國人是全世界最優秀最強健的民族，所以應當統治全世界上其他劣等民族。他對於所謂「劣等民族」的描寫，一再出現於《我的奮鬥》之中，譬如他寫到奧地利帝國時說——

「我深深厭惡在奧國首都所見各種種族雜交的情形，捷克人、波蘭人、匈牙利人、羅丹尼安人、塞布人、克羅茲人都混合在一起；尤其是到處都看到像雨後蘑菇一樣的猶太人，更多的猶太人。」

他寫到非洲人時說——

「讓成千成萬最優秀民族的人民，陷於目前這種勞苦的困境中，但卻要訓練非洲土人去擔任知識性的工作，簡直是違反造物主的本意。」

希特勒的種族論，不僅毫無科學上的根據，而且即以感情出發也是十分褊狹的。他認爲，波蘭人、捷克人、猶太人、黑人以及亞洲人全都不配取得德國的國籍；即令他們生於德國，長於德國，能操德國的語文，仍然不配做德國的國民。

德法兩國毗鄰而居，文化程度大致相若，希特勒對法國也表示無比的輕蔑，而其理由不是由於政治、經濟或軍事的原因，卻是以種族為重點。他說——

「法國在使其本國黑人化這一方面，已有如此偉大的進步，我們甚至可以說一個非洲人的國家正在歐洲的土地上崛起。法國當前的殖民政策，簡直還比不上德國多少年前的老辦法。如果法國目前的政策繼續不變，則三百年之後，法蘭克族最後的血液都滲在一個新起的歐非兩洲黑白混合血統的國家之中了。」

被希特勒攻擊得最激烈的是猶太人。他指責猶太人要「使德國的勞工階級都匍匐於猶太人金融勢力的桎梏之下，先使德國布爾什維克化，然後才能達成猶太人征服世界的目標。」又譴責猶太人「慣於作弄某一國與另一國對抗，他們卻從中漁利，逐步建立起一個永恆的猶太帝國的主權來。」這些話，無論在當時乃至到今天，都是十分之誇大的說法。

至高無上的狂想

為了要保持亞利安族亦即「至高無上」的德國人民，希特勒堅決反對與「劣等民族」進行通婚，以免造成血統的混合。希特勒堅稱，歷史上偉大國家的衰亡，完全是由於種族混合以至破壞了血統純潔所致。為了要預防這種災難的發生，所以國家必須盡到責任，採取防範的措施。雖然，「懦夫們和弱者們」會為了私權被侵犯而提出抗議，但是國家「必須盡其全力使民族的血統保持純潔，藉以使人類能達成最高境界的發展。」

由於所謂亞利安族天生就是優越而至高無上的「狂想」，使得希特勒大言不慚地說，「統治民族爲了她自己的利益，去征服、剝削、掠奪乃至消滅劣等民族，乃是她無可推卸的職責與特權。」照他解釋，由於德國人口擁擠，急需更多的「生存空間」（Lebensraum），所以，他主張，德國人有權取得斯拉夫人的土地，將斯拉夫人遷離，使德國人移居進去。他說，這樣做的話，就長遠的觀點而言，將使全世界的人都受益。散布在世界各地的德國人，應該集結在一個統治之下。「惟有在地球上有適當的廣大空間，方可保證一個國家的自由與生存。德國如果不能成爲獨霸世界的強權，則世界上便沒有德國的存在。」

希特勒心目中所籌謀的國土擴張，主要是以犧牲俄國爲目標。站在人口稠密的德國，希特勒引領東望，垂涎欲滴，他的構想是「取烏拉山區無可估量的天然資源，加上烏克蘭地帶無可計量的農田，皆納入德國版圖之中。」如是則霸業可成，天下莫予毒了。他說，「這是德國的責任，解救俄國人民免受布爾什維克頭目們的壓迫。」他又說，「我們今日談歐洲的土地，心目中所想無非就是俄國及其邊界相鄰的各小國。在此命運似乎已經展示了朕兆。由於俄國之布爾什維克化……使得此一在東方的巨人之國崩潰之期屈指可待。」

希特勒除了有關種族的謬論之外，並且赤裸裸地歌頌武力，可以使他的侵略行動合法化的，就是靠了武力。他說，「國家的疆界乃是由人所造成，亦可由人去改變。一個國家如果取得了適當的土地，自不能使他國負有永遠承認這種狀態的義務。充其量也只能說這種現狀是證明了征服者的實力與其他各國的衰弱無能而已。所以，在這種情況之下，正義與實力同在。」

這些話對於在戰敗以後遭受割地賠款之痛的德國人聽起來，自然是十分入耳的。

希特勒也承認還有其他的方法，可能解決德國擴張領土以適應人口急遽增加的問題。

第一種辦法，是提倡節育，減少人口的出生率。但是，這與希特勒的「統治種族」的理論極不相容，自然爲他所拒絕了。

第二種辦法，是第一次大戰前德國當政者走過的老路，就是增建大的工廠，鼓勵商品外銷，以有易無，來解決德國的民生問題。希特勒對這一方式也表拒絕。他反對大工廠制度，因爲這種制度將創造更多的都市藍領無產階級。

第三種辦法，是增加現有可耕地的農產品產量。希特勒說，這只是局部的暫時的答案，可耕地所能增加的農產品畢竟是有限的。

因此，希特勒對這個問題所做的結論說，惟一眞正的解決之道，乃是使德國獲得現存疆界之外的土地，使更多的德國人可以在那些新得的土地上謀生。

希特勒對於德國的領土與人口的主張，都歸納在下面這一段話之中——

「我們現有八千萬德國人在歐洲！今後的外交政策，必須考慮到下列的條件方始能被承認是正確的。在不到一百年之後，在這個大洲上即將有兩億五千萬德國人；他們不能像生活在監牢中一樣，為世界上其他人口去做苦工，而是做農民和工人，憑他們自己的勞力解決他們彼此的生活問題。」

簡言之，希特勒預見了德國人口在一百年之內可能增加到三倍之多。而國民每年所得就當時的估計，多者不過能增加兩倍。所以他希望有更多的「生存空間」。同時，他受了麥金德以至浩斯霍弗的地緣政治學理論影響，對於軍事地理甚為看重。國土的縱深幅度越大，越可免於敵人的攻擊。

宣傳、外交與武力

為了要達成他自己野心勃勃之下所設定的目標，希特勒在《我的奮鬥》中提出了三種手段：即宣傳、外交與武力。

希特勒在《我的奮鬥》裡面，對他自己的宣傳技術，炫示最多；他自認為宣傳乃是納粹黨最有力而且幾乎是無可抵禦的重要武器。美國作家洛納（Max Lerner）曾稱希特勒「乃是現代史上最偉大的宣傳家與組織家。」又說，「如果要在歷史上找足以與他相頡頏的人，那便要回溯到羅耀拉與耶穌會去了。」羅耀拉（Loyola）乃是天主教最大的修會耶穌會會祖，是使教會振衰起敝的一大功臣。洛納這種譬喻，在某些方面確有其眞實性。希特勒為了增進對宣傳術的瞭解，他曾研究馬克思主義者的宣傳伎倆，天主教會的組織系統，英國在第一次大戰時的戰時宣傳，美國的廣告宣傳術，以及佛洛伊德心理學的理論。

他在書中對於宣傳曾有如下的「高論」——

「宣傳的作用……不是在於衡量和考慮不同的人所持有的不同的道理，而祇應去強調它所要去辯護的道理。宣傳的任務不是對眞理作客觀的研究，那樣做無非有利於敵人；也不是按照學院派的所謂公平原則把事實陳示於群衆之前；宣傳的任務應該是永無休止地爲我們自己的『道理』服務。譬如戰禍之起，非德國所能單獨負責的；如果我們討論戰爭的罪惡，那便是絕對的錯誤。宣傳應該是將一切的罪名都放在敵人的肩頭，即使與事實有所不符，亦不應顧及……宣傳的目的不是爲那些酒色過度的少年紳士們提供有趣味的消遣，而是在能夠令人深信——我所說的人，乃是指廣大的群衆。」

希特勒的宣傳「理論」中特別強調「集中」與「重複」這兩個觀念。他說——

「廣大群衆的感受性極爲有限，他們的才智極微，但又極爲健忘。由於這種種情況，所以，有效的宣傳都必須集中在特別重要的某兩三點上，而且要將這兩三點反反覆覆表現在標語口號之中，務必要使廣大群衆中的最後一人也能瞭解你在標語口號中所要他瞭解的道理。如果你不用簡單明瞭的標語口號而要求面面俱到，宣傳效果就無法達成，因爲群衆既不能消化亦不能記憶你所提供的材料。如果用這種方法去宣傳，效果必趨減弱，最後是一事無成。」

頭腦空空的羊群

希特勒對於宣傳的信賴，可以用他自己的話來說明。他曾說過，「藉了銳利機敏，堅忍不輟的宣傳，足可以使人們相信天堂是地獄，而地獄是天堂。」為了使宣傳發揮充分的效力，所以設計時必須要適應才智最低的人，「經常而主要的目標，應該是人們的感情，儘可能不必訴諸人們警覺的理智。」宣傳，「與科學的精確性無關，正如同街頭的招貼與眞正的藝術毫無關係……你所要接觸到的群衆人數越多，則你所需要的知識水準便愈要低淺。」

在以上的原則之外，希特勒認為，宣傳者應該善於運用某些有用的心理學上的小花樣。譬如說，你要說服一個與你意見相反的群衆，在早晨就不適當。暮色蒼茫之時要好得多，天黑之後大家都很疲倦，他們的抵抗力也必隨之減弱，這當兒便最容易「完全受情感所操縱」。另一個有力的工具是用大規模的激發，在納粹政權統治之下，這種戰法常常使用，使得本來無組織的群衆參加遊行示威，間接接受了宣傳，如希特勒所說的——

「……這些陣容浩大的群衆示威，成千成萬的人在一起遊行，遂使得渺小卑鄙的人也都傲然自得，燃燒著無窮信心。儘管他自己不過是一文也不值的蟲蟻，但卻自認為是巨龍的一部分；在巨龍噴吐的火焰之下，可憎的布爾喬亞世界終有一天在熊熊烈火之中一炬而盡，無產階級專政必可慶祝其最後的勝利。」

希特勒對於所謂廣大群衆的蔑視，一再形諸筆墨，他所用的詞句如「頭腦空空的羊群」，如「愚蠢的化身」等皆是。他又表示，人類在集體活動之時，都是懶惰、怯懦、娘娘腔調，感情用事，而且不能從事理智考慮。

在希特勒的宣傳理論中，其最後的一招便是漫天謊言，謊言越扯得大越好。他說「謊言扯得大，正是可以取信於人的一個因素；這說法是完全正確的。……因爲群衆的頭腦簡單到極點，所以越是大言炎炎，越是比扯一些小謊更有宣傳效果。群衆也常常扯一些小謊，不過限於羞惡之心使他們不願意扯太大的謊言。因此，即使有人起而指摘的話，群衆也絕不會相信竟有人敢如此無法無天，顚倒是非的。」簡言之，謊言越大越容易被群衆相信，而且越不容易被人拆穿。

希特勒理論中還有一條，可以稱之爲「單一魔鬼論」，就是說，不要在同一個時候舉出太多的敵人來讓群衆去恨，以免得他們會弄錯了目標。一次應該集中於一個標的，群衆的仇恨應該集中於這個仇敵身上。對希特勒來說，猶太人是一切罪惡的代罪之羊。雖然他也反對民主政治，反對馬克思主義，反對凡爾賽和約，反對法國以及其他目標，可是，猶太人卻總是「一切罪惡的眞正原因」，「要徹底毀滅德國以及亞利安民族的文化」。在《我的奮鬥》中，他聲嘶力竭地叫囂說——

「到目前爲止，法國仍是我們最危險的敵手。法國已是越來越黑人化了，而且與猶太人征服世界的陰謀相勾結，形成了一種持續性的危險，威脅著全歐洲的白種人。」

關於宣傳的進行，希特勒看得很簡單，他主張由國家全面控制教育就行了。讀書太多是錯誤的。體育與衛生健康應該居於最重要的地位。其次是發展品格，尤其是像軍人們所擁有的美德，如服從、忠誠、意志力、自制、自我犧牲，以及對於職責的榮譽感等。學識的重要性則列爲第三等。爲女學生而言，最要緊的是訓練她們做賢妻良母。對於「全民教育」的觀念希特勒深致厭惡。他認爲那是自由主義分子發明的毒藥，足使他們自行分裂而趨毀滅。他認爲，每一個階級乃至一個階級之下的每一個分支都祇能有一種教育。對於廣大群衆來說，他們應該安心「享受」做文盲的福氣。

至於那有資格受教育的集團，他們所受的教育也僅限於「一般觀念」，這些觀念要靠週而復始的重複，銘刻在他們的心版上永誌不忘。其主要的原則永遠是「兒童屬於國家」，教育唯一的目的「是爲國家訓練工具」。

不掩飾反對民主

希特勒對於全民教育的觀念，正是他反對民主政治整個理論體系中的一環。他從不放過任何一個機會對民主政治加以嘲諷，他說民主政治乃是最無效率的制度。他指出——

「今日西方的民主政體，乃是馬克思主義的先驅，如果沒有民主這一套，馬克思主義是不可想像的。民主政治爲禍世界，使得馬克思主義的病菌得以傳播。就其極端的形式而言，議會主義創造了一種由排洩物與火燄合成的怪物；我很傷心的指出：其中的火燄已燒得將成灰燼了……。對於民主政體，有一個道理我們永遠不可忘記：所謂大多數永遠不能取代一個人。代議士不僅代表了大多數人的愚蠢，更也代表了他們的怯懦。一百個頭腦空乏的人抵不了一個聰明才智之士。一百個懦夫也做不出一個英勇的決定來。」

希特勒痛詆民主政治乃是「猶太人慢慢散佈出來的詭辯謬論」，譬如像「世人皆生而平等」的話，就是爲猶太人自解之辭。又如「普遍選舉權」、「平等權」等，非僅有害，而且足以招致亡國滅種之禍。

希特勒提出了領袖至上的理論來代替民主政治。照他的說法，群衆應該毫無疑問地聽命於他。一切事之成敗利鈍，由他自己負其全責。

希特勒在《我的奮鬥》中描繪出他統治德國，征服世界的藍圖之後，便一步一步照本宣科，忠實地去執行。其中祇有一項重要的不過也是很短暫的改變，那便是一九三九年簽訂的所謂「德蘇互不侵犯條約」。這個條約的簽訂，原非希特勒本意，他在《我的奮鬥》中曾說

「我們切不可忘記，目前俄國的統治者都是渾身是血的罪犯，人類中的糟粕，他們利用

時機成事，在一個悲劇性的時刻儌倖盤踞一個大國，他們將俄國千千萬萬第一流的知識份子或殺戮、或驅逐，弄得腥羶遍地……」

其實，希特勒殺人的成績，恐怕也不遜於史達林的。「德蘇互不侵犯條約」不旋踵即告撕毀，純然是利害關係決定，納粹德國與共產黨蘇俄，在「道德境界」上同樣是乏善可陳的。

不過，現在我們討論《我的奮鬥》這本書，有一點是值得強調的。希特勒寫這本書，坦率地將他日後的「雄圖」公之於世；又過了好多年他才眞正跨上了德國總理的寶座；此書之出版，與第二次世界大戰爆發的時間相隔十年，何以全世界的軍政領袖們對於他的狺狺狂吠，事前竟無一人予以注意？一部分理由是因爲當時國際間充滿了綏靖主義的空氣，列強都在各自打自己的如意算盤，政客們又有「不惜任何代價祈求和平」的高調，於是，使得人們「陶醉」於追求和平的美夢之中，漠視了希特勒的叫囂。

另一個原因，則是由於國際圖書檢查制度所得到的「驚人」結果。由於希特勒拒絕授權將此書全文譯爲其他外國文字，所以，在一九三九年以前，還祇有一種大加刪節過的英文譯本，內容與原本相去甚遠。到了一九三九年，也即大戰爆發的前夕，才有兩家美國出版公司（一家得到希特勒授權，一家則沒有），出版了兩種未經檢查未經刪節的英譯本。在法國，一九三六年曾有一個法文的全譯本，但經希特勒提出控訴後未得發行。倫敦後來又出了一個刪節後的法文版，其中將希特勒攻擊法國的語句全予刪除，又將他解釋德國何以必須一戰的那一章省略，於是不但使得全書語調軟化，而且連原來的主旨也曖昧難明了。以上這種情形，皆可見當時西方民主國家政界人士的醉生夢死，同時也可看出當時的知識界、出版界的怠惰冬烘。後來希特勒的鐵騎，能以長蛇封豕之勢席捲歐陸，亦不能謂爲完全是偶然倖致的。

《我的奮鬥》在德國境內，幾乎成了人人必讀之書。每一對新婚夫婦必受贈一冊；納粹黨每一個黨員，政府機構的每一個公務員，人人必備此書。不過，後來出版的版本中，刪去了對俄法兩國的攻訐之詞，據說是爲了掩飾希特勒的眞正企圖，「好讓我們的潛在敵人們高枕無憂，安然睡覺。」

一字殺死百餘人

現在，再來看《我的奮鬥》這本書，歷史學者一定說希特勒根本不懂歷史；人類學者一定說他的種族論完全是一派胡言；教育學家則會指出他的教育理論乃是「中古式的反動理論」；政治學家要譴斥他那種極權政治的觀念以及他對民主政治的妄加歪曲；乃至文學家們也要指出，希特勒這個人根本搞不清段落章節，他如何能寫成一本書來？

儘管如此，《我的奮鬥》卻仍是一本曾經轟動一時而且的確影響過歷史發展的書。譬如對此書批評得最痛快的房龍（Hendrik Willem van Loon）曾說，「此書乃人類有史以來特殊的歷史文件之一，其天眞爛漫之處有如盧騷，其赫然震怒的語氣又好像舊約中的預言。」當然，這是極挖苦的說法。

另一位著名批評家庫辛斯（Norman Cousins）的說法則更爲具體，他說，《我的奮鬥》乃是「二十世紀中最有影響力的一本書……爲了這本書中的每一個字，有一百二十五個人喪失了生命；每一頁，四千七百人；每一章，死亡的人數在一百二十萬以上。」因爲，《我的奮鬥》既然是納粹德國的政治聖經，自一九三三年直到二次大戰結束爲止，在第三帝國內部以及歐非戰場上所毀滅的生靈，推本溯源，莫不由此書而起。

極不幸的是，希特勒式的思想並未隨著他的死亡而死亡。強凌弱，衆暴寡，用暴力和滲透顚覆交互運用，以達到侵略顚覆目標的手段，比希特勒時代更爲高明了。譬如說，以毛澤東爲首的中國共產黨種種包藏禍心的陰謀，多年之前不僅見諸文字而且見諸行動，可惜世人不加深察，未免太不能記取歷史的教訓了。

隻手推開宇宙之窗
哥白尼及其《天體運行論》

遠自原始時代以來，人類對於自然天象的種種變化，就極有興趣。古代的神權統治，泰半是以人類對自然變化不得其解的敬畏之感作爲心理基礎的。諸如日之升沉，月之盈虧，星斗之移轉，晝夜之交替，季節的轉換，潮汐之漲落，不僅是人類肉眼可以觀察得到的現象，而且，這些現象對於人類的日常生活都具有密切而重大的影響。在科學發達之前，遂有許多神奇怪異之說，乃至各種宗教上的信仰，環繞著天體的種種現象而興起。

托勒密學說的要點

文明進步之後，學者們首先試圖以合乎理性的說法，來解釋天體的運動。古代研究天文學的科學家與思想家，大都出於希臘，最早的如公元前五世紀的畢塔格拉斯（Pythagoras）

和公元前四世紀的亞里斯多德（Aristotle），他們雖然是以嚴肅的態度來研究，但都因方法上工具上的種種限制，不能成爲「一家之言」。在公元一百五十年左右，有一個住在亞力山卓的埃及人托勒密（Claudius Ptolmy），將古代有關天象的種種學說以及他自己的研究心得，條分縷析，建立起一套比較完整的系統。此後約一千四百年間，托勒密理論一直爲世人普遍接受；人對於宇宙的觀念，就以他的學說爲基礎。

托勒密學說的中心，是認爲地球是一固定的、不能自力運轉的、而且根本不能動的大物體，位於宇宙的中心，其他一切天體，包括太陽與其他恆星在內，都圍繞著地球運轉。因此，地球是大氣系統中的中心，各種行星都緊緊地與這個系統相銜接。各種恆星則與其他的系統相聯，都是每二十四小時自轉一週。據托勒密的說法，行星與恆星是循著相反的方向運行，但都被一個強大的力量所吸引。他認爲，土星是距離中心最遙遠的行星，距太空最近，所以運行一週的途程最長。月球是距離中心最近的，所以運行一週的途程最短，需要的時間最少。天文學家羅森（Edward Rosen）曾對托勒密學說作如下的說明：

「傳統的學說認爲，行星是向東運行，然後逐漸減低速度，以至於完全靜止。靜止之後再自行運轉，繼續向東運行。這一走走停停的途程，一再重複，無盡無休。」

因此，在托勒密的理論中，宇宙是一個封閉起來的空間，外面是層層大氣。大氣之外，所謂宇宙便一無所有了。

一千多年之間，世人都同意托勒密的理論是正確的。有兩個非常合乎人性的因素，使大家特別容易接受他的假說就是眞理：

第一、托勒密理論主要是以人類可以觀察得到的現象爲基礎。人人可以看得到；因爲肉眼看到是那個樣子，自然便覺得他的說法是很「合理」的。

第二、他的理論滿足了人的自我。試想，以地球爲宇宙的中心，所有的星辰都圍繞著地球運轉，同時人又主宰著地球，這是何等令人類自欣自慰的消息；聽起來彷彿都是由人類一手造成的。

文藝復興與哥白尼

由於以上這兩個原因，使得托勒密那一套雖不眞實但卻相當動聽的理論，經歷了一千多年的時光，一直到歐洲「文藝復興」時代，才有人對這套理論的正確性重加考量。推翻托勒密理論的是人，被稱爲「教士、畫家、詩人、醫師、經濟學者、政治家、軍人與科學家」的哥白尼（Nicolaus Copernicus），是文藝復興時代最偉大的天才之一。他能集如此衆多的「頭銜」於一身，可見他之博學多才，所以，也有人便稱他爲「宇宙之人」。

哥白尼生於一四七三年，逝於一五四三年。在他有生的七十年之間，正是歐洲史上充滿了冒險、刺激、令人興奮的偉大時代。在那一時期，哥倫布發現了新大陸；麥哲倫環繞了世界一周；達伽瑪第一次由海上航行到印度。馬丁路德發動了宗教改革；米開朗基羅創造了藝術的新世界；巴拉塞薩斯（Paracelsus）與魏薩琉斯（Vesalius）奠定了現代醫學的基礎；還有另外一位「偉大的宇宙人」達文西，他是名畫家、雕塑家、工程師、建築家、物理學家、生物學家，而又是哲學家。在同一時代，有這麼多的天才出現，使得當時的文化活動與成果，光輝燦爛，照灼千古，極空前之盛。而哥白尼亦在此時嶄露頭角，他的貢獻是爲世人提供了一套理論，爲宇宙建立了新的體系。

困學半生博聞多才

哥白尼生於波蘭的多倫城靠近維斯杜拉河岸的地方，多倫是參加德國北部各地政治與商業同盟——即「漢薩同盟」的一個城市。哥白尼幼年是由他的一位極有勢力的伯父華茲魯德大主教管教；最初在多倫當地的學校讀書，至一四九一年，進入柯拉谷大學深造。這家大學當時是全歐洲研究數學與天文學的中心。五年後，他旅行到義大利，轉入全歐洲最古老最有名的學府之一——波龍那大學。在那兒，他一面研讀經典，一面研究天文。然後，他到羅馬講授數學與天文學，歷時一年。後來到巴圖亞大學和伐拉亞大學，先後研究醫學與教會法，又花費了五年的光陰。他的求學生涯至此方告一段落，於一五〇三年獲得伐拉亞大學教堂法的博士學位。

同時，由於他的伯父的影響力，提名他接受符勞恩堡教堂中的神職。他於一五〇六年由義大利回到波蘭，然後就一直在符勞恩堡度過了他後半生的三十七年。

哥白尼在教會中的職務極為複雜繁重。在政教關係不分的中古時代，他彷彿是集地方上的管教養衛於一身的領袖。平時他要為教士與信徒看病；當波蘭人與普魯士人或條頓族的騎士們發生戰爭時，他要協助當局，增強防衛以度難關；戰爭結束之後，他又要參與和平談判；此外，他曾提供方案，建議當局改革貨幣；他而且要分神去治理偏僻的教區。為了公餘消遣，他偶亦作畫自娛，還從事翻譯，將希臘的古詩譯為拉丁文。

天文學祇是多才多藝的哥白尼所研究的課題之一種；不過，後來漸漸成為他的主要興趣，日夕沉迷，樂而忘返。他對於天象觀察，自幼就頗為注意，入大學之後，從研究數學而更專注於天體運行的種種現象。他由於發現了托勒密理論有不能自圓其說的地方，乃決心師法自然，由此中覓求宇宙間的眞理。

獨力進行儀器簡陋

哥白尼的研究工作，完全是由他一個人靜靜地進行。在當時，不僅沒有人幫助他，甚至也沒有人知曉。他為了不受打擾，常常躲在教堂外面護城牆的角樓上去，觀察星斗與夜空。

在哥白尼的時代，能用的觀察儀器極為簡陋。望遠鏡的發明，還在一百年之後。他使用的儀器，祇是他自己製作的日晷儀，和用木頭作的三角儀，用以測定各種星球的距離與高度；另外有一個天象儀，也僅有經度和緯度的記號。這些工具與目前人類所用的各種天文學儀器相比較，其差別猶如手推的「獨輪車」之於噴射機。

哥白尼遭遇的另一困難，是氣候不適宜。因波羅的海與各大河流，帶來了很多雲霧。在哥白尼所住的符勞恩堡，完全晴朗的天氣一年之間沒有幾天，極不利天象觀察。

可是，哥白尼毫不因這些困難而沮喪，年復年年，他一有時間和機會就去潛心觀察、計算，爲探索宇宙的奧祕而孤軍奮鬥。

哥白尼在試探著要證實或否定的「地轉說」理論，與當時爲世人普遍深信了一千多年的托勒密理論體系針鋒相對。簡單地說，根據「地轉說」，地球並非恆定不動，而是圍繞著一個軸心，每天自轉一次；同時又圍繞著太陽運轉，每年一周。這種說法，如今連小學生也都明白，可是，在十六世紀的哥白尼卻因爲他的理論過分「驚世駭俗」，遲遲不敢發表。他將所研究的資料，反覆推敲，直到他自己認爲毫無疑問之後，才將整套的理論公諸世人。從研究到發表，中間經歷了三十年之久。

古希臘時代確曾有若干天文學家，提出類似「地轉說」的說法；主要一點，就是指出地球可能是繞日運行，所以並非宇宙的中心。譬如學術家稱爲「上古的哥白尼」的亞利斯塔查斯（Aristarchus），在公元前三世紀就曾根據日出日落的現象，提出地球依軸心每天自轉一次的理論。但是，他與許多持類似觀念的天文學者所提出的假說，都被大哲學家亞里斯多德和托勒密嚴加拒斥，他們都堅持地球爲宇宙中心的構想。

研讀古籍初見曙光

哥白尼研讀古典著作而發現了這些「非正統的」古代假說，很可能便由此而引起的懷疑，進而重新研究這個問題。在哥白尼看來，亞利斯塔斯在一千八百年前所提出的有關天體運行的解說，遠較托勒密的理論爲簡單明白。

大約在一五一〇年，哥白尼寫了一篇文章，說明他的新理論。這篇題爲「小評」（Commentariolus）的文章在他生前並未公開發表，祇是手抄了若干份，分寄給當時的天文學者參閱。據圖書館界的調查，這篇文章的抄本至少有兩份得以保存至今。

在「小評」中，哥白尼說明他早已開始著手的研究工作，是由於托勒密有關宇宙的理論，「過分複雜，過分不合理，而且對於許多天體現象都沒有能提供令人滿意的解釋。」在這篇文章的結尾，他提出了他自己的結論：地球並非太陽系的中心，但卻是月球環繞軌道的中心。所有的行星，都是圍繞著太陽而運行的。「小評」的結論說起來寥寥數語，但它卻代表著這位偉大的天文學者觀念中發展的一個嶄新階段。

三十年完成喜得知己

哥白尼以三十年苦工完成的傑作，當時極可能因爲沒有出版而埋沒，而永遠無人知曉。「地轉說」之終能與世人相見，應該感謝一位德國的青年學者。在一五三九年夏天，有一位魏汀堡大學數學教授，到符勞恩堡來拜訪哥白尼。此人即年方二十五歲的李迪卡斯（George Joachim Rheticus）。李迪卡斯震於哥白尼的大名，亟欲當面一談，親承教言。他本來祇想小住數週，想不到因受到哥白尼的熱誠款待，一見傾心，竟在符勞恩堡盤桓了兩年之久。一經接談，李迪卡斯就發現哥白尼的確是位不世出的第一流大天才。他曾以三個月的時間，潛心研讀哥白尼的全部著作，並與作者詳加討論。然後他又根據哥白尼的理論寫成了〈第一記〉（Narratio Prima），並以書信的方式，寄給在德國紐倫堡的老師史葛納。這封信（也可以說這本小書）於一五四〇年刊登在雜誌上，這是全世界介紹哥白尼學說的第一本書。在這本小書中，李迪卡斯對於哥白尼推崇備至。不過，他所介紹的理論，僅涉及有關地球運動的一部份。他本來還要在〈第一記〉之後繼續寫第二記、第三記；但後來發現並無必要，〈第一記〉已經引起了學術界熱烈的討論。

一直到那個時候，哥白尼本人對於是否應該發表他的全部理論，仍頗爲遲疑。他是一個完美主義者，他認爲每一觀察所得的結果，都應經過一再的檢查核對。他的原稿曾經失傳了三百年，但在十九世紀中葉，又在布拉格發現，原稿上顯示他在研究過程中，對自己的學說曾有五六處重大的修正。

除了學術上求眞求全的考慮之外，哥白尼遲遲不將「地轉說」發表，還有另外一個原因，那便是顧慮到教會方面可能會反對。自宗教改革與文藝復興以來，宗教界對於任何富有革命性的理論與觀念，都抱懷疑的態度，深恐會再度使人們對正統教義有所疑惑。哥白尼是一個虔誠的教士，當然不願扮演「異端者」或「烈士」的角色。

但是，由於李迪卡斯的〈第一記〉贏得了熱烈的反響；同時更因李迪卡斯及其他天文學者的鼓勵催促，哥白尼終於讓步了。哥白尼將原稿交付李迪卡斯，後者將原稿帶到紐倫堡去，親自督理出版的工作。不過，書尚未印完，李氏調任爲萊伯尼茲大學教授；他衹好將這份督印的責任，委託給當地的一個路德派教士歐斯安德（Andreas Osiander）。

歐斯安德是一個「鄉愿型」的人物；他對於哥白尼的激烈觀念深懷憂懼。所以，他竟未經作者授權與同意，擅自將哥白尼原著中第一卷的「序論」刪除，代之以他自己寫的一篇短序。短序中說，本書僅包含爲天文學者的方便所擬設的假說；這些假說未必眞實，地球也未必可能眞會轉動。換言之，對這本書不必看得很嚴重。

歐斯安德這樣做，當然是出於一片善意，免得使這本書及其作者遭受到敵意的批評。後世學者如密茲瓦曾指出，歐斯安德這樣做，雖然大有違作者的原意，但卻對於這本書之倖能流傳頗有貢獻。由於那篇短序彷彿是出於作者親筆，措詞又說得委婉曲折，避重就輕，當時教會方面並未發現它的重要性。教會的《禁書索引》中，直到一六一六年才將此書列入。

傑作出版溘然長逝

在他的著作印刷完畢之前，哥白尼不幸患嚴重的心臟病。後來有一位專使由紐倫堡趕到符勞恩堡，將剛剛印好的第一本新書送到哥白尼的手中。幾小時之後，這位偉大的天才在眼看到畢生心血終告出版，遂即溘然長逝。這一幕悲劇發生在一五四三年五月廿四日。

哥白尼的書，題爲《關於天體運行》（*De Revolutionibus Orbium Coelestium*）。當時的學者著書立說都用拉丁文，這本書也是用拉丁文寫成的。

哥白尼在書前說明，此書獻給當時的教宗保祿三世。在他的獻詞中，顯見他已預料到此書將來會引起若干困難。

在「獻詞」中，他很誠懇地叙述了研究天體運行的經過以及友人們督促他將此書早日出版的情形。「我曾爲了是否應將手稿發表而遲疑久久，其間我曾師法古代拜占高蘭人的先例，他們祇將哲學中的奧理口授親友……」他說，他將手稿擱置，「不僅是九年，而是四個九年之久。」

他又說，「我毫無懷疑，飽學才智之士如能對我所提出的證據予以充分的考慮，對我所申述的理論充分理解，他們就一定會完全同意我的議論。不過，爲了使學者與不學之人都能明白我無所懼於任何人的評斷，所以，我謹將此書呈獻給聖座之前。雖然我蟄居在此地球上一個遙遠的角落裡，也深知聖座至高無上的尊嚴地位，並且對於各種科學與數學夙所關愛，儘管如俗語所說，『惡言中傷，無可救治』，但我深信以聖座的崇高地位與上智審斷，將可壓制任何誹謗者（對我的理論）的攻訐……」

於此，他又將整個的理論做一總結：

「恆星界最爲廣遠，其中包含一切；正由於此，所以它是恆定不動的。宇宙間其他一切星辰的運轉與位置，皆依恆星界而定。雖然有些人認爲恆星也可以運行，我們卻可以從另一方面來看地球運轉的理論。

「在運動的星體中，首先是土星，每運行一周需要三十年。其次是木星，十二年運行一周。然後是火星，兩年就運轉一周。第四位就是地球，一年運行一周；環繞著地球的則是月球軌道，做爲一個「周轉環」（epicycle）。第五位是金星，九個月轉一周。第六位是水星，八十天運行一周。在這些星辰的中央便是日球。因此，在此瑰麗的殿堂之中，誰還能將光明的火炬，放在（日球以外的）其他地方，而又使整個宇宙都能爲光明所籠罩呢？……所以，我們發現，在井然有序的組織之下，宇宙自有其神妙的體系，在衆星運轉及星體的光度上，皆有一明確的和諧關係。這種關係不可能是按照別的理論所能發生的。」

《天體運行論》的內容

《天體運行論》以向教宗保祿三世的獻詞爲始，其後是歐斯安德僞託的序論；全書正文共分爲六卷，每卷之下另分章節。

卷一是說明哥白尼的宇宙觀，其中特別闡釋他以日球爲宇宙中心的理論。然後，說明地球與其他行星一樣，環繞著日球運行；由此討論地球上的季節變換。在卷一最後的幾章，等於是三角學的教科書，並且說明了在以後各卷所應用的三角學原理。

卷二討論天體之運行，並以數學方法分別予以測量。這一卷結尾處有一星球分類目錄表，並表明每一星辰在天空的位置。這個表大體是依據托勒密所遺留下來的圖表修正而來。後面的四卷，分別詳論地球、月球，及其他行星的運行。在每一個案中，皆附有圖形，根據哥白尼的理論來說明這些星球運行的路線。

在反對「地轉說」的學者中，其主要的理由早經托勒密陳述在先。他認爲，地球必須是恆定不動的；否則的話，任何在天空中飛行的東西，如雲彩和飛鳥，都將因地球自身的運轉而被留在後面，同時，如果地球在不停運行的話，人將物體拋向天空，落下來的時候便不會落在原來的地點，而是落在稍向西移的地方。

另外更有一種聽起來強有力的理由說，如果地球是以那樣高的速度運行的話，必早已解體成爲齏粉，消失在太空之中了。

在伽利略（Galileo）的天體力學與牛頓（Isaac Newton）萬有引力定律發明之前，托勒密傳下來的這些問題，確乎甚難答覆。

哥白尼的解釋是，包圍著地球的氣體，隨著地球運轉而運轉；所以白雲和飛鳥也仍和地球同樣運行。同時，他又反問說，如果宇宙轉動而地球不動，勢必整個的天空都需不停地轉，否則如何會有白晝與黑夜的分別呢？此外，他又提出另一項辯護的理由：「自然是不會自行毀滅的，上帝決不會創造了宇宙而讓它自行毀滅。」如果整個的宇宙不停地運轉，豈不是也像托勒密所預言地球的命運一樣，會碎滅消失嗎？

在哥白尼的理論中，太陽是無自動力的，靜止於圍繞它運行的各行星之間；這與托勒密所構想的地球相同。太陽僅有的功能，是供應光與熱。宇宙是有限的；在星辰與大氣之外，空間即不復存在。哥白尼在這方面的理論與托勒密相同。「太空無限」的觀念，哥白尼也和托勒密一樣還沒想到過。此外，他也接受了托勒密的「周轉環」的假說。

在哥白尼理論中，後世又爲之修正者主要有兩端：一是日球並非眞正居於任何行星軌道的中央，一是每一軌道各有一不同的中心。

馬丁路德極力詆斥

在科學界與一般人之間，對於哥白尼的理論接受得都很緩慢，除了極少的例外，當時的反應大都是強烈的反對。據說，有一家印刷廠，因承印《天體運行論》這本書而遭一群大學生攻擊，他們想要搗毀印刷廠並銷毀原稿。所幸那位廠主意態堅決，事前有所準備，得使全書印刷完成。另外在某處有人上演諷刺劇，劇中竟把哥白尼貶斥爲一個將靈魂賣給魔鬼的人物。

然而，更嚴重的反應，來自當時權力極大的教會組織。哥白尼的理論，搖撼了中古世紀哲學與宗教信仰的一切標準；如果他的理論確能成立，則人類將不復居住在宇宙的中心；他的家淪爲若干行星之一的次要地位了。

不過，由於教會中當時要應付的問題太多，同時也由於歐斯安德那篇短序，天主教教會方面對此書並未立即採取行動。可是，基督教的領袖則並未如此容忍。馬丁路德就曾多次極嚴酷地批評哥白尼的理論爲荒謬，「正好像一個坐車乘船的人，認爲他自己是穩定不動，祇是外面的大地和樹林在奔馳一樣。」他更以諷刺的語調說，「這正是目前流行的毛病。任何人如果想要表現他很聰明，就要弄出一點他自己的東西來；他造出的理論一定就是最好的，因爲是他把它造出來的。這個蠢材將把整個天文學弄得天翻地覆……。」路德的忠實弟子密契遜也曾形容哥白尼爲一代狂人，「他居然把太陽停止下來，而讓地球轉動。」

另一重要的新教領袖咯爾文，則引述〈聖詠〉第九十三章，「世界亦已建造完成，它是不能動的」，來指責哥白尼「竟敢把他自己的權威置於聖靈之上。」

列爲禁書歷二百年

天主教方面直到一六一五年，才對哥白尼的理論加以駁斥，認爲他離經叛道，違背眞理，其學說純然是愚昧荒唐。

一六一六年，這本書被列入《禁書索引》；同時並宣佈，「凡屬肯定地動說的其他著作，均應一併查禁。」哥白尼的書被禁足足歷兩百年之久，直到一八三五年教會方正式宣佈解禁。有兩個人的遭遇，使得當時的人不敢對哥白尼的理論稍贊一詞。一個是布魯諾（Giordano Bruno），他不僅是哥白尼的信徒，而且更將其學說加以推闡；他提出「空間無限」的觀念，並且說，太陽與各行星所構成的系統，祇是整個宇宙的許多系統之一。他說，在別的星球上，可能也有居民，可能他們的理性與智慧，凌駕人類之上。由於他這些異端之論，後來被宗教裁判所審訊判刑，於一六〇〇年二月間被判火焚而死。

另外一個不幸的遭難者，是天文學者伽利略，他在一六三三年也受到宗教裁判所的拘捕，面臨鞭笞與死刑的威脅，被迫下跪，聲稱從此以後絕不再信仰哥白尼的理論；儘管如此，還是被判終身監禁之刑。

薪火相傳繼起有人

在學術界方面，最初的反應與教會的情形相去無幾。譬如近代科學方法論的奠基人之一，英國的大學者培根（Friancis Bacon），就表示反對地球自轉與環繞日球公轉之說。由於亞里斯多德和托勒密的學說，在歐洲各大學府傳授已歷多年，深入人心，成見一時甚難破除。在美國，哈佛大學與耶魯大學的早期課程中，托勒密和哥白尼的理論同時包括在內，倒眞彷彿是「道並行而不悖」。

然而，眞理畢竟衹有一個，而哥白尼的理論是接近眞理的。所以，學術界經過繼續的研究與調查，搜集了更多的證據之後，終於證實了哥白尼理論的成立。修正了人類一千四百年錯誤的宇宙觀。

在哥白尼逝世之後，最偉大的天文學家是丹麥人泰喬（Tycho Brahe），他因得丹麥國王的賜助，得到了許多精良的儀器，所以他的觀察結果遠較哥白尼爲細密。

在泰喬之後，其德籍助手喀卜勒（Johann Kepler）使用泰喬所遺留的資料繼續研究，並從而建立了他有名的三條定律：

第一、行星都是循著橢圓形而非正圓形的軌道運行。

第二、地球及各行星既然是循著橢圓形軌道繞日球而行，其運動速度因而並不完全一樣；凡是距日球越近，則運轉越快。

第三、行星與日球之間的距離，與其繞日而行所需的時間成正比。

前面提到過的伽利略，是歷史上第一個使用望遠鏡來觀察天文的。他用望遠鏡得到的資料，都證實了哥白尼的發現。伽利略更建立力學理論的基礎，使得哥白尼理論依據益爲增強。

到了牛頓發明萬有引力定律以及有關行星運動的定律之後，提供了更充足的科學證據，證明哥白尼的正確性。宇宙間尚有若干未能揭曉的神秘問題，直到二十世紀愛因斯坦的相對論完成之後，漸次都得到了解答。

隻立千古永受崇敬

在後世科學家不斷的研究修正之後，世人常常會提出一個問題：「哥白尼的理論究竟是不是眞確的？」哥白尼所留下的理論，的確是不夠完整的，而且在許多方面是不正確的。他所認定的天體循正圓軌道而運行的觀念，就是錯誤的。他把宇宙看作一個有限的存在，也與近代的知識不合；宇宙間存在的恆星系統無數，太陽系不過是其中之一而已。還有若干細節，哥白尼所提出的原則，到四百年後的今天都還未能證實。但是，哥白尼理論體系中最重要的一點，他選擇了日球爲我們所居住的行星系統的中心，是發現了有關宇宙奧秘基本的眞理；同時，由於他這一重大的啓示，奠定了近代天文學的基礎。

哥白尼在科學史上的地位，已爲世所公認，千古不朽。正如德國大文豪歌德（Johann W. Goethe）所說：「在所有的發現與理論之中，論其對人類精神影響之大，恐怕沒有能超過哥白尼的了。」由於哥白尼的理論，使得人類在千餘年間所信之不疑的許多道理都爲之動搖；同時，也使人類得到了以前從來不曾夢想過的更廣闊的自由觀點和更偉大的思想。

最後，我們還可引述美國當代三位最重要的天文學家的話，來說明哥白尼對人類的貢獻。

布許（Vannevar Bush）說：「哥白尼傑作之出版……是文明一個重大的轉捩點，它影響到人類思想的每一方面。它提供了一個卓越的例證，顯示科學的眞理，能使人的心靈獲致自由，並且能廓清他的視野以便未來征服無知與一切的不容忍。」

還有一位是曾獲得諾貝爾獎金的尤瑞（Harold C. Urey），也曾作類似的讚美：「用盡一切最高級的形容詞，皆不足以描繪出哥白尼的作品之偉大。他打破了流傳千餘年的舊觀念，向世人介紹了新的理論系統來解釋行星與日球的關係。這樣做了之後，他創始了科學思想的全部現代化的方法，而且修正了我們有關人生各方面的思維。」

最後一位，也是說得最爲透徹懇切的一位，是史泰森（Harlan True Stetson）。他說：

「當我們檢讀長長的歷代名人姓氏表，其中有許多位是對於促進世界史上科學的進步具有重大貢獻的人物。如果要我們從其中選擇某幾位是最重要的，實在是一件很爲難的事。然而，如果有人要我舉出其中三個最重要的人物，我將不加遲疑地答覆，哥白尼、牛頓，和達爾文。他們三個人具有共同的特性，使他們在贏得進步的過程中不可分。這些特性就是想像力，無盡的天才，以及在悟解新觀念中表現的創造性。如果將這些因素都考慮在內，則在此三位偉大的天才之中，桂冠應歸於哥白尼。因爲是他奠定了現代天文學的基礎；如果沒有他的理論，牛頓將無法建立其萬有引力的定律。而且，哥白尼打開了通往革命式思想的大門，向流傳已久的正統學說挑戰。因爲有了哥白尼做先驅，進化論才能在我們的思想中獲得一個立足之點。」

哥白尼以一人之力，隻手推開了宇宙之窗，使人類不僅在天文學方面的知識走上了大道，並且也提供給後世學者維護眞理、研究學術最好的典型。這就是哥白尼屹立千古，永遠爲後人崇敬的原因。

窮究心與血的奧秘

哈維及其《血液循環論》

古代的種種理論

直到十七世紀初葉，人類對於生物科學的知識與研究，正如同在哥白尼以前對於天文學的研究一樣，甚爲膚淺。公元二世紀時的希臘醫學家加倫（Galen）曾留下有關心臟、靜脈、動脈，和血液的理論，一直傳到十七世紀，當時醫學院裡老師傳授與學生實習的，大都仍限於加倫那些古老的理論爲範圍。

在這一千多年之間，人類對於血液循環以及心臟功能的瞭解，並沒有多少增進。亞理士多德曾經教導門徒說，血液是由肝臟所造，然後注入心臟，再經過身體流入血管中去。他相信心臟是人體熱力的來源與才思之所寄。亞歷山卓學院的伊拉西斯特拉塔斯（Erasistratus）則認爲，動脈裡面有一種氣體和元氣。這種觀念被加倫提出矯正，加倫發現動脈中流動的是血液而非氣體；不過，在他之後幾百年，醫學界仍有人相信，動脈裡面的血液含有某種元氣，具有促進生機活潑的作用。

在舊傳統牢不可破的社會背景之下，惟有最勇敢的科學家才敢於對古代流傳下來的遺規陳言提出質詢。加倫的作品一直就被人視爲神聖的經典，不容辯論更不容懷疑。按照加倫的說法，肝臟是血液系統的中心。消化後的食物先進入肝臟，由肝臟製造血液，「元氣」就加進去了。血液在人體中經過動脈與靜脈而進退，就彷彿像潮汐漲落一樣。動脈血液由心臟的一側湧出，經過極細的微血管而與由心臟另一側流出的靜脈血液相混合。

千百年間，人類對於血液的迷信最多。很多人都認爲，人體中血液比任何其他部分更富於神聖性，譬如很多種宗教的祭獻之禮，往往都使用血液爲象徵。

到公元一六〇〇年前後，理論上的改革開始在醞釀之中。歐洲的文藝復興運動，非僅促進了文學的新生，同時也震動了知識界，影響到自然科學。這是大學者伽利略（Galileo）、喀卜勒（Kepler）、哈維、培根（Bacon）與笛卡兒（Descartes）的時代。在義大利，被稱爲「解剖學之父」的魏薩琉斯（Andreas Vesalius），在五百年之前就已經證明，加倫所描寫過的微血管根本是不存在的；而且，在心臟的兩個心房之間並無直接的聯繫。大約在同一時期，有一個叫塞萬塔斯（Servetus）的人曾說，他相信血液循環一定經過肺臟；但他不曉得心臟是一個壓縮血液的器官。這個人後來被清教徒派的喀爾文用火刑給燒死了。羅馬的一位解剖學教授柯龍保（Rea'do Colombo），也提出過經肺部循環的觀念。一六〇三年，有個叫做伐布里夏斯的名學者，發現了靜脈血管是有瓣的；這是一個很重要的發現。不過，他當時誤解了這些「瓣」的目的衹是爲了使血液的流通緩和下來。關於他的影響，後文我們還要說起。

留義從名師受教

由於以上種種發現，乃有些勇敢的學者毅然而出，對於統治了中古世紀的古老教條表示了懷疑。但是他們一時也無法發現全部的眞相，這些人之中，一個一個都對於揭開血液循環與心臟功能的謎團，曾有過一點重要的貢獻；但是，每個人所提出來的，都仍是不完全的答案。後來，發現了心臟與血液的奧秘，並形成一套井然有序的科學理論體系的，乃是英國的醫學家威廉·哈維（William Harvey, 1578-1657）。

文藝復興運動肇始於義大利，所以，新知的傳播，由義大利而歐洲大陸，而後始到達英國。不過，當哈維於一五七八年出生時，英國正將進入其國史上一個光輝燦爛的時代。伊莉沙白女王不久即將登基；英國海上霸權將因擊敗西班牙的無敵艦隊而確立；英國的探險家們將開拓新的疆土；而大文學家、大思想家如莎士比亞、斯賓塞、德萊頓、米爾敦、約翰遜，和培根等人，都將留下光耀後世的偉大作品。在此之前幾百年間英國歷代王朝壓制人民思想的舊傳統，已漸推翻；人民享受思想自由，除了極少數限制之外，他們可以盡力去創造新的觀念，開拓新的知識領域。

哈維爲了研究醫學，必須前往義大利留學。在義大利巴杜亞（Padua）地方的大學，被稱爲「文藝復興運動的母校」，而且一直是全歐洲醫學研究的中心。哈維從劍橋大學畢業之後，就到巴杜亞大學去攻讀了四年，主要是在一位名師的指導訓誨之下；這位老師即前面提過的伐布里夏斯（Hieronymus Fabritius），他是首先發現靜脈有瓣的人。哈維先學習將各種動物解剖試驗，然後，由於伐布里夏斯的理論啓發，使他對於血液循環的理論特別有興趣，後來成爲他終身研究樂此不疲的課題。

哈維於一六〇二年學成返英，開始了他在醫學界五十年的職業生涯，集醫師、教授與作家於一身。他娶了伊莉沙白女皇御醫的女兒，當選爲英國皇家醫學院的院士，在有名的聖巴索路繆醫院擔任醫師，同時，他更先後應聘爲英王詹姆士一世與查理一世的御醫。聲華榮寵，盛極一時。

不過，哈維在一生之中最有興趣的事，還是醫學的研究與試驗；他覺得在這方面比行醫更爲重要。自一六一六年起，他才開始在皇家醫學院講授血液循環的理論。他當時的講義原稿至今仍在，混合了拉丁文與英文，筆跡細密，幾乎無法辨認。原稿中記述了他所作的試驗，同時也說明了他在寫那本講義時，便已經確定他日後備受讚揚的血液循環論之正確性。簡言之，就是「血液之流動是在不斷的循環之中，其流動是由於心臟的跳動而起。」

遲遲不發表著作

哈維在他的理論確定之後，又過了十二年，遲遲未肯將他的結論發表。對於如此重要的大發現爲何要延擱如此之久？據英國的醫學家奧斯洛爵士（William Osler）的說法是，哈維的心情「可能與哥白尼相同。哥白尼因恐遭世人狃於偏見的攻訐，所以他的《天體運行論》完成了三十年之後，始終放在書齋中不肯發表。」

再用哈維自己的話來解釋，他說過，他的血液循環論「具有如此新奇的聞所未聞的性質，所以，我不僅深恐因少數人的嫉妒令我自己受到損害，更怕整個人類都會與我爲敵；世間的風俗習慣，已經成爲人的第二天性。而我的說法則是搖撼了歷來的信念，影響到所有的人。」

哈維不是率爾發表作品的人，他認爲，「草草爲文的小作家們，猶如盛夏中的一群蒼蠅，他們那些粗率膚淺的作品，像烟一樣能使人窒息。」

可是，又經過了多年的試驗與觀察之後，哈維終於認爲時機已經成熟了。一六二八年，在德國的法蘭克福出版了僅有七十二頁小版本的書，卻被許多權威學者認爲乃是有史以來關於醫學知識方面最重要的一本書。當時，學術性著作都用拉丁文寫作，所以這本書也是用拉丁文寫成，原名是《動物血液與心臟運動之解剖實驗》（*Exercitatic Anatomica de Motu Cordis et Sanguinis in Animalibus.*）這本書的第一版何以挑中了在德國出版，現已無從考證；很可能是由於在法蘭克福每年都要舉行一次書籍展覽，因此，新書在那兒出版，可以迅速爲學人專家所知，並且可以儘速先在歐洲大陸上流行起來。這本書第一版中排印的訛誤甚多，那是哈維本人潦草細密的書法應該負一部分責任的。

哈維的書前有兩篇獻詞，其一是致英王查理一世，文中推崇一國君主的重要性，猶如心臟之於人體。隨後另有一文，向皇家學院院長阿楨特博士以及其他學者和醫師們致謝。哈維在這篇序文中並表明他的觀點說：我們必須接受眞理而不必問其來源；眞理的價值遠較先王之道、祖宗之法更有價值。他說，「我具有研習與講授解剖學的經驗，我的知識都不止是得自書本而是來自實際的解剖手術中；不是由哲學家的立場去觀察，而是由大自然的組織去分析。」在這些話裡，哈維掌握了現代科學方法論的精神與方向。

哈維這本書有一篇簡短的序論，正文分爲十七章，也都很短；書中對於心臟的運動與血液在人體中的循環，都提出清晰而連貫的說明。在序論中，哈維檢討了加倫、伐布里夏斯等四五位醫學先進的理論，並指出了各家理論中所含的錯誤。

惟有上帝才瞭解

哈維在書中的第一章裡，概括說明了他的研究中某些相關的問題，他說：

「當我初次想到活體解剖的方法，去發現心臟的運動與機能時，我時常想要從直接觀察中有所發現，而不止是從早年的書籍文章中去找結論。結果我發現這個工作實在是困難重重，吃力無比。我幾乎要與古希臘學者們抱持同樣的想法——關於人的心臟運動，惟有上帝才能眞正瞭解。我無從理解心臟收縮與心臟擴張爲何發生，也不知道在何時何處發生；在某些動物心臟的運動彷彿是在一眨眼之間就告完成，來去自如猶如閃電般迅速。」

哈維相信，研究心臟的運動，應從冷血動物身上下手比較容易，諸如蟾蜍、青蛙、蛇、魚、蝦、蟹、蝸牛和星魚等；他憑觀察所得，看到這些動物心臟的運動較慢較少。熱血動物則在生命垂危時，心臟運動才爲之減緩。

根據試驗所得，哈維看到由於心臟的收縮，迫使血液的外流；心臟收縮時，動脈就擴張以便容納血液。心臟似乎是一個肌肉做成的幫浦，因收縮與擴張而使血液能不停地循環下去。血液流進動脈中時，使其脈搏增強。同時，他推翻了自古流傳的血液流行「猶如潮汐」的說法，他指出血液循環祇有一個方向，並無前進後退之分。據哈維說明，血液由心臟的左側，經過動脈進入四肢，然後再經過靜脈而進入心臟的右側。他用縫合線在動脈與靜脈某些點紮結起來，由此決定了血液循環的方向。簡言之，他這一番重大的發現是：正是動脈中所含的相同的血液，回到了靜脈之中，由此而完成了血液循環。

生動如繪的描寫

哈維對於血液循環的描寫，是積多年觀察研究之所得，寫來生動如繪：

「這兩種動作，一是心室的（Ventricles），一是心耳的（Aericle）相繼而作；但在兩種動作之間保持某種微妙的諧調與韻律；因爲這兩種動作進行得如此巧妙，祇有一個動作是可以辨覺得清楚的，尤其在溫血動物爲然，因爲牠們心臟與血液的運動都比較疾速。這完全由於生理構造的奧妙，猶如機械一般；雖然是一個輪子帶動了其他的輪子，但好像所有的輪子都是同時自行轉動起來一樣。心臟的運動，又可用另一個譬喻，即槍械的道理來說明，當人扣動了扳機，敲下了火石，打在鋼板上，激起了火花，火花落在火藥上，於是點起火來，火花擴大，進入槍管，引起爆炸，推進鉛彈，最後擊中了目標——雖然都有其單獨進行的過程，但因爲這些動作都如電光石火一般迅速，便好似都發生在一眨眼之間了。」

哈維後面這個例子，乃是根據當時的老式槍支來做譬喻；他的意思我們是可以理解的。心臟的運動與血液的循環十分複雜，但因其迅速不斷的運動，遂使人難於窮究眞相。

提出了種種證據

在設想血液的流行是一種循環運動時，哈維可能確曾受到了古希臘學者們的啓示和影響。譬如亞理士多德就曾一再教導其門人弟子說，在一切運動之中，循環運動是最完美最高尙的。與哈維同時的一位天文學家布魯諾（Giordano Bruno）曾說，圓環乃是「宇宙間最基本的象徵和一切生命與行動的典型。」在哈維的書中，也使用了「其運行猶如在一圓環之中」，以及「血液的運行吾人可稱之爲循環。」都具有很重要的承先啓後的意義。

哈維解說血液循環的道理，就整體而言是很正確的，不過其中有一點聯繫不起來，究竟血液如何由動脈血管進入了靜脈血管之中去的？哈維曉得血液是由心臟的左側進入動脈，然後再由靜脈回到了心臟的右側，不過，他說，「我從來不曾經過動脈與靜脈會合處的小孔，查明過它們之間究竟有些甚麼聯繫。」雖然哈維確信在動脈與靜脈之間一定有某種通道，但是因爲當時沒有顯微鏡，他無法看到血液由動脈流入靜脈中間經過的毛細管。這一疑問在哈維去世數年之後，由義大利波龍那大學解剖學教授馬璧飛（Marcello Malpighi）解決了。馬璧飛使用剛剛可以應用的顯微鏡，觀察青蛙的肥部。他看到在動脈與靜脈之間的確有很多毛細管，正如同哈維所預言者一樣。如此，證明血液循環理論的最後一個步驟終告完成了。

關於血液循環的理論，哈維爲了祛除群疑，曾提出更多的證據。其中之一是科學家們常常應用的定量的方法。他在試驗中證明，人的心臟在一小時中間，跳躍約四千次，可是可壓出來的血液遠多過於一個人身體內血液的總量。如果把由心臟在一天內輸送出來的血液總量計算出來的話，可知這個數量的血液，遠超過一個人在一天之中所吃下的食物製成血液的流量——由此推翻加倫的理論。所以，哈維的書中寫道，「血液在人體中供應無缺，惟有賴往復不斷的循環。」

另外還有一種證據足以證明血液循環的，那便是毒藥對於人體的影響。哈維說，「我們看到許多病徵，譬如像傳染病、染毒的瘡口，被毒蛇或瘋狗所咬的傷口，以及梅毒之類，有時雖然病毒已經傳佈全身，而眞正接觸的地方反而並無傷痕或者已經收口……由此可證傳染病先接觸了身體上的某一部位，然後就由血液帶著流回了心臟，再由心臟傳佈到全身去……這種情況也可以說明何以有些藥品塗在皮膚上竟能達成與口服幾乎相同的效果。」

這是重大的革新

哈維使用動物做試驗，乃一極富啓示性之重大革新。他相信，「如果解剖學者們對於低等動物的解剖與對於人體的解剖，具有同等的熟稔，則到目前爲止許多錯綜複雜的疑難問題，在我看來必然都能迎刃而解。」醫學界推崇哈維爲比較解剖學的開山鼻祖，的確相當有道理的。他曾叙述他解剖各種動物的經驗，其中包括羊、狗、鹿、豬、鳥、卵中的小雞、蛇、魚、鰻、蟾蜍、青蛙、蝸牛、蝦、蟹、蠔、貽貝（一種大蠔）、海綿、小蟲、蜜蜂、黃蜂、蚊蚋、蒼蠅、虱等。

哈維的書中強調，「據我觀察之所得，幾乎所有的動物，都具有心臟，不僅是如亞理士多德所說的那些大型而有血液的動物才有心臟，就是那些很小的連血液都沒有的動物，像蝸牛、鼻涕蟲、螃蟹、蝦等也都有心臟。甚至於像黃蜂、蒼蠅等，我用精細的鏡片看到所謂『尾部』的上半部有一躍動的心臟，我曾將這種活生生的心臟給別人看。在這種沒有血液的動物中，心臟的跳躍很慢，收縮時無精打采，彷彿像高等動物奄奄一息時發生的情況。這種情形在蝸牛身上最容易看得清楚，蝸牛的心臟是在右側一個洞的底下，好像唾液由那個洞裡流出來似的。……有一種小小的烏賊，在大海與泰晤士河會合之處捉來，牠的整個身體幾乎是透明的，把這隻小生物放進清水裡，我常常讓朋友們看這隻烏賊心臟的跳動，用肉眼就可以看得很清楚的。」

在這些重要的發現之外，哈維對於科學和醫學研究最偉大的貢獻，乃是他首先使用了試驗的方法。哈維奠定基礎，使得在他以後三百餘年來病理學與醫學逐步發展起來。其要點便是如哈維自己說過的，「使用實驗的方法，窮究自然的奧秘。」人類對醫學的研究，在哈維之前有數千年的歷史。醫師們曾經學得如何去辨識和如何去正確描述影響人類健康的各種重要疾病。但是醫師們僅憑觀察病象，卻是不夠的，而且往往會引致錯誤的結論。這便是哈維和在他以前的醫學前輩之間最大的不同。哈維論症，不是徒靠表面的觀察或因襲前人的舊說，而是先立定假說之後，再由試驗的方法去求證。他是歷史上第一個將科學的試驗方法應用在解決生物學問題的人。自一六二八年之後，所有繼承他學說與方法的重要醫學家，都是走的和他一樣的路子。

墓碑上的紀念詞

但是，當哈維完成這些重大發現之後，與他同時代的人們的反應頗爲有趣。他的書並非一本立即轟動各方的作品；這本書對後世竟發生如是深遠的影響，在當時就是哈維本人可能也並未料到。有些保守派的人士反對他的觀點，有些人則因懷有強烈的偏見，乃對他大肆攻擊。當時的一位新聞評論家奧伯禮（John Aubrey）曾寫文章說，他曾聽到哈維講過，「在他的《血液循環論》這本書出版之後，他覺得自己很了不起。一般俗人雖然相信他的確是空前的，但所有醫師們卻都反對他。」這雖屬一偏之見，但亦未始不可說明當時某些人的情緒。

哈維對於外界的毀譽，一概淡然處之。但是，巴黎大學醫學院對他一直表示敵意的態度，並發表攻訐他的意見，終於使他無法緘默。巴黎大學解剖學教授廖蘭（John Riolan）曾試圖說服他在醫學院中同時任教的醫學家們，應該禁止在該校講授或討論哈維的學說。哈維爲了駁倒廖蘭的反對，乃不得不寫成兩篇文章，都是有關血液循環的，都以《解剖學論文》（*Anatomical Disquisitions*）爲題。這兩篇論文於一六四九年以一本小書的形式出版，指明了寫給廖蘭看的——這是在他《血液循環論》出版二十一年之後了。在這本小書中，哈維相當詳盡地答覆了批評者所提出的每一項指責。

由於他自己的辯護以及學術界的繼續研究，哈維很幸運地能夠及身看到世人普遍接受了他的理論。一六五四年他當選爲英國皇家醫學院院長，乃是他在同行之間受到極端尊重的證明。三年之後，他便一病不起了。

在哈維的墓上，刻著後人用拉丁文所撰的紀念詞，將他一生的成就與貢獻，做了一番扼要中肯的總結。

「威廉·哈維乃是我學術界人士一致敬仰的人物，在有史數千年來，他首先發現了血液運動的眞相，從而使世界得到健康，也使他自己獲致不朽。惟有他使世人免於受僞學之蒙蔽，而獲得眞知；眞正醫學之建立亦全由他一手促成。他是英王詹姆士陛下與查理陛下的首席醫師與知友；他也是倫敦醫學院解剖學與外科學極受尊敬極成功的教授；他爲先王建造了一座有名的圖書館，並捐贈他自己的家財使其藏書日富，規模日宏。最後，在他殫精竭慮，窮研學理，獲得重大發明之後，在英國及海外均曾有仰慕他的人爲他造像紀功。這位偉大的醫學家之師保，在完成了人生長途之後，於一六五七年六月三日溘然長逝，享齡八十歲，身後並無兒女，然哈維氏之大名將永垂宇宙……」

後人對他的評價

在哈維逝世以後三個世紀以來，雖然有關血液循環的理論並無基本的改變。但是，有關心臟的生理，血管和肺臟等等，都有許多新發現，因而累積了新的知識。譬如說，有關心臟的結構，心臟在正常狀態下以及染病之後的動作，種種複雜的運動以及血液的功能等，都已獲得清晰的瞭解，這是哈維那個時代所無法想像的。

儘管如此，哈維的貢獻卻是有劃時代意義的。如名評論家基爾果（Frederick G. Kilgour）所說，「哈維在醫學與外科學的直接貢獻，實在無可衡量。許多有關血液與心臟疾病的救治，以及高血壓症、心臟冠狀症等的處理，都是要以他的理論爲基礎的……然而，更爲重要的，則是他對於一般生理學的貢獻。因爲，血液循環的理論，乃是我們對於人體內部情況瞭解的基礎。在人體組織系統之中，最重要的任務乃是由血液這種液體承擔；而哈維憑其眞知灼見，首先發現了血液循環的眞相。」

哈維發現血液循環現象對於促進醫學進步具有無比重大的意義，關於他這一方面的評價，說得最爲透徹的，應推二十世紀英國醫學界領袖奥斯洛爵士。他在一九〇六年倫敦皇家醫學院的哈維紀念年會中致詞時，曾盛讚哈維《血液循環論》那本書，「……它形成了現代精神與舊傳統從此分隔開來的一個記號。人類不再以仔細觀察和正確描叙爲滿足：人類亦不再自限於細密的理論與夢想，那些所謂理論往往不過是『無知的遁詞』；在哈維的書中，這是一個重大的生理問題第一次被一位具有現代科學精神的人，用試驗的方法去解決它。哈維並且有這種認識：讓結論很自然地而且很堅定地由實際觀察中產生出來。人類史上有耳朵的時代，這時大家都在聽，而且祇有聽；然後是眼睛的時代，這時大家都在看，而且祇以所看到的爲滿足。最後來到了手的時代——能思想、能設計，能做事的手；做爲心靈之工具的手，終於由哈維再度介紹到世界上來。他那本小小的僅有七十二頁的書，實可視爲現代試驗醫學的起點。」

現代科學精神，重實證而不容玄想；尤其像醫學這一型的學問，學者必須要自行動「手」，以手來補足耳聞目見之不足。第一流的知識，是要由手上得來的。

心靈與血液的奧秘，的確是人的生理中最玄妙的部分；惟有活人的心臟才會跳動，血液才會循環，可是活人是不能用來做試驗的。所以，古人之限於觀察而不敢解剖，除去科學上「無知」之外，可能更有其他社會的、倫理的、法律的、和政治的理由。此亦正可見哈維能發揮其智慧，衝破樊籬，發現了重重奧秘，是如何的了不起。對於外行人來說，雖然醫學是一頗爲神秘的莫測高深的學問，但我們仍不難了解何以歷史要推重哈維是現代醫學的奠基者，爲科學化的醫學世紀帶來了曙光的人。

世界體系的創建者
牛頓及其《數學原理》

在所有對於人類曾發生重大影響的著作之中，很少有一本書像牛頓的《數學原理》那樣爲千千萬萬人頌揚讚嘆，而眞正讀過的人卻寥寥可數。

牛頓（Isaac Newton, 1642-1727）這部書的全稱是《自然哲學之數學原理》（*Philosophiae Naturalis Principia Mathematica*），作者似乎是有意使用最玄奧的拉丁文寫成，並夾以極複雜的幾何圖解甚多；因此，此書的讀者自然限於高水準的數學家、天文學家和物理學家。

在牛頓身後的一位傳記作者曾說，當《數學原理》在十七世紀末葉問世之時，當時能夠眞正瞭解這部書的人不過三四位而已。另外一種比較「寬大」的估計，認爲最多不過十來個人眞懂得它。作者牛頓本人承認這是一本「十分艱深的書」。但他並不因此而稍感歉憾，因爲他是有意如此，他本來就是要寫給對數學有精深研究的人去讀的。

歷代的科學家都尊崇牛頓是人類有史以來最偉大的天才之一。他對於人類的貢獻，眞可歷百世而不朽，譬如——

法國的天文學家拉布拉斯（Pierre Simon Laplace）曾說，《數學原理》較人類中天才所製作的任何成果，更爲偉大。

著名數學家拉葛蘭琪（Joseph Louis Lagrange）對牛頓更是歸心頂禮，直稱他爲「有史以來最偉大的天才」。

現代數理物理學先驅鮑茲曼（Ludwig Boltzmann）說，《數學原理》乃是在理論物理學的範圍中的第一本，同時也是最偉大的著作。

美國天文學家甘貝爾（W. W. Campell）說，「在我看來，牛頓爵士自然是歷史上最偉大的物理學家；同時，也是天文物理學卓越的先鋒。」

以上這幾位都是了不起的科學家，他們的讚美當然與外行人泛泛之說不同，在過去的兩百五六十年間，類似的頌禱之詞極多，因而使我們外行人，不能不接受他們的評斷。

聖誕節出生的天才

牛頓出生於一六四二年的聖誕節，差不多剛好在哥白尼逝世的一百年之後；那年也正是伽利略去世的時候。這兩位天文學界的巨人，再加上喀卜勒的繼續努力，爲後來牛頓的學術研究提供了有利的基礎。

有人說，牛頓是生活在一個到處是天才數學家的時代中的數學魔術師。很多寫科學史的人都同意；十七世紀是數學最爲光輝燦爛的時代，正如同十八世紀之於化學，十九世紀之於生物學；馬文曾說，「在十七世紀的後四十年，人類看到的進步，爲歷史上其他時期所未有的。」

十七世紀學術分科未若今日之精密；當時所稱的物理科學，包括了數學、化學、物理學與天文學；牛頓便是一位集大成而又開拓了學術上新疆域的大人物。

牛頓在少年時代，親歷克倫威爾（Oliver Cromwell）在英國推行所謂「共和」其名、造反其實的共和政體，於一六五七年倒台；經歷過一次有名的大火災，倫敦全城幾乎都成爲灰燼；接著又是一場大瘟疫，倫敦全城人口三分之一都染疫而死。他避居在華索普的小農莊中歷十八年之久，然後被送到劍橋大學去讀書。

在劍橋，牛頓受教於著名的數學教授巴羅（Isaac Barrow）的門下；這位教授被人稱爲牛頓的「知識之父」。因爲，巴羅教授首先發現了牛頓的才賦，善加培植，多方鼓勵，終使他後來能有大成。牛頓在讀大學的時候，就發明了二項式定理。

輟學鑽研成就驚人

由於前述的大瘟疫，劍橋大學於一六六五年被迫停課，牛頓回到鄉下的故居。其後兩年間，他幾乎與外界完全絕緣，閉戶讀書，全神貫注在科學試驗與研究上。他所得到的結果十分驚人。

在尚未年滿二十五歲時，牛頓便已完成了三大發明，這三項發明已足以使他躋身於古今最偉大的科學家之中而毫無愧怍。這三大發明便是——

第一、他發明了微積分。當時是稱爲「流分法」（fluxions）。微積分是以流體式變數爲對象，涉及所有有關流動、波浪，以及各種物體的運動等現象。所以，凡要解決任何有關運動的物理學問題，微積分都是必要的。因此有人說，牛頓發明微積分，猶如打開了數學寶庫的大門，並且是將整個的數學世界，「都置於牛頓及其追隨者的足下。」

第二、牛頓發現了光的組成定理，由此更分析了顏色的性質與白光的性質。他指出，日光看起來雖似是一片白光，實際上卻是在虹之中各種顏色的光線混合而成的。因此，顏色是光線的特徵；牛頓藉了稜鏡所做的試驗中顯示出來，白光乃是由光譜上各種顏色混合而得。由於這一發現所得到的知識，使牛頓能製成第一座使用起來令人滿意的折射望遠鏡。

第三、是更爲重要的研究結果，即震動世界的「萬有引力定律」（Law of universal

gravitation）。這一定律被稱爲在近世以來的純粹理論發明中，對科學家們的想像力影響最大的。根據衆所週知的記載，牛頓發明的這個定律，是由於他看到蘋果從樹上落到地面來。不過，地球能引致物體落在地面上來的這一想法，即在牛頓時代也並非甚麼了不起的新觀念。牛頓之貢獻乃在於：他證明了引力定律在實際運作中是有普遍性的——其力量的強度，正不下於天體星球之間吸引的力量，然後，他又對於他的理論提供了數學上的證據。

三大發明不著一字

牛頓完成了微積分、光與引力的三大發明之後，當時卻沒有發表任何東西。牛頓本性沉默寡言，深自謙抑，對於引起公衆注意和討論的事，皆爲他深所不喜。因此，他最初對於研究所得的結論不願發表。後來，還是在師友的督促勸勉之下才公諸於世。可是，一經發表之後，雖然他的聲譽立即轟傳一時，他自己卻頗表後悔。因爲這些作品的發表總不免引起批評和討論，這都是他不感興趣的。

在大瘟疫造成的強制隔離以及由此得來的閒暇時期之後，牛頓再度回到劍橋，修完了碩士學位，出任聖三一學院教職。不久，他的恩師巴羅告老退休，牛頓才以二十七歲的英年，升任爲數學教授；他擔任這個職務一共有二十七年之久。在這二十來年間，大家都不大聽到牛頓的消息。他仍在繼續研究光學，並且發表了一篇有關白光混合性質的論文。不意此文一經發表，立即引起熱烈的辯論，因爲他所得到的結論與當時流行的理論正相反；同時也由於他在這篇論文中說明了他的科學的哲學。牛頓表明他的基本觀點：即科學的主要任務，是進行計畫極爲周密的試驗，然後將這些試驗進行中的觀察所得，詳加記錄；最後，根據試驗的結果，寫成數學式的定理和定律。用牛頓的話說，「窮求事理之正確方法，應自試驗結果中演繹而得。」這些原則雖然與現代科學研究的理論完全相合，但在牛頓時代顯然尚未被一般學者所同意。當時的所謂信念乃得自想像、思索與觀察事物之表面而來，而且常常是因襲古代哲學家的學說，對於試驗所得的證據卻不肯輕信。

對於牛頓那篇論文大加攻擊的人中，包括了當時聲名顯赫的科學家如惠根士和胡克等人。牛頓對這些「名家」的食古不化，不明事理，深惡痛絕；他甚至於決定以後再也不要發表文章，免惹無謂的煩惱。有一度他對於科學本身也失去了興趣，一再說他對科學不復如從前的熱愛了。據他自己說，後來他開始寫《數學原理》時，「乃是再三受人驅迫、哄騙、與勸誘的結果。」事實上，《數學原理》這部偉大作品的寫作與完成，多少有些偶然的成分在內。

一六八四年，由法國天文學家皮卡德（Jean Picard）計算出來地球周線的正確長度，這是科學史上第一回確定這個長度。牛頓就將他的資料，用之於引力原理，證明了那使月亮繞地球而行以及使各行星繞日球而行的力量，都是由於引力的緣故。引力與物體的質量成正比，並與其距離的平方成反比。牛頓並由此說明了行星的橢圓形的軌跡。引力的牽引使月球與各行星都能循著各自的軌跡而運轉，並且與它們運轉而生的離心力相平衡。

這一次，牛頓對於自然界的這一重大秘密的發現，又沒有立即發表。當時還有些別的科學家們也在致力研究同一個問題。有幾位天文學家建議，各行星是因引力的關係附屬於太陽。提出這種說法的天文學家之中，有一位是對牛頓批評得最厲害、最堅持的胡克（Robert Hooke）。不過，這些天文學家之中，沒有一個人能提出任何數學上的證據。

好友哈雷鼓勵著書

這時，牛頓已經是頗負時譽的數學家了。有一位天文學家哈雷（Edmund Halley）特別到劍橋大學來拜訪他，並且請求他賜予協助。在他們交談之間，哈雷發現他所提出的問題，牛頓在兩年之前就已經解決了。而且，牛頓更已經把物體引力影響之下運轉的主要法則都完成了。不過，由於他個性的關係，這些研究的結果他一時並不想發表。

哈雷立即看出了牛頓這些發現的重要性，並盡其全力敦促極為固執的牛頓，這些重大的發現應該公之於世以供進一步的研究發展與運用。由於哈雷的殷勤勸勉，使得牛頓的興趣也為之復燃，於是就開始動筆寫了他一生中最重要的作品：《數學原理》。美國哲學家蘭傑爾（Susanne Langer）說，這是一部「歷代機械論哲學的水庫，而且是有史以來最富於原創性的著作之一。」

《數學原理》這部大著，是在十八個月期間完成的。據說：在這段期間，牛頓由於全神貫注於寫作，常常忘了吃飯，覺也睡得極少。當然，也惟有像他這樣集中了全部心力與時間，才能夠在那麼短的時間內完成這樣一部震古鑠今的偉大著作。當《數學原理》全書脫稿之後，牛頓由於工作過度，已經是心力交瘁形神枯槁了。

當寫作中間，牛頓還要不時受到外來的干擾，尤其是來自胡克的種種譏評。胡克自己說，關於行星運轉理論中的某一部分，他才是眞正的「創始人」。這時的牛頓已將《數學原理》的初稿完成了三分之二，他由於被胡克的無理指責所激怒，曾想從此輟筆；那後面的三分之一，也正是全書中最爲重要的部分。牛頓如果不寫當時是沒有別的人能寫得出來的。最後，還是靠好友哈雷費了一番唇舌，使牛頓按照原來的計劃次第完成。

皇家學會推翻諾言

哈雷在《數學原理》這部書完成的過程中，功績之大也許僅次於原作者。他不僅鼓勵牛頓去完成這一工作，同時他還與皇家學會交涉，由該會同意出版牛頓的大著。當這部書最後付印時，哈雷放棄了自己手上的一切工作，去監督印刷事宜。最後，皇家學會突然推翻了原有的諾言，不肯支持這本書的出版。這時，哈雷又挺身而起，雖然他自己也不過是個中產階級的知識分子，而且有一家人要養活；但是，他由於對眞理、對知識的熱愛，毅然承擔一切，從他自己荷包中掏錢出來，付淸了全部的紙張印刷費用。

《數學原理》經過了重重波折，終於在一六八七年出版了；第一版是小型的版本，五百一十頁。（前面已說過，此書原著爲拉丁文，英譯本則到一七二九年始出版。）第一版當時的售價大約是十個或十二個先令。在書名頁上，有當時皇家學會會長裴畢士（Samuel Pepys）的「核准出版」（Imprimatur）的記載。但後世的評論家則認爲，空有「飽學之士」頭銜的裴畢士，在《數學原理》整整一部書中，究竟是否能懂得一句，實在是大可懷疑的事。「核准」云云，不過是極無聊的官樣文章而已。

《數學原理》的大要

對於《數學原理》這部書，要想用日常所用的語言來做一個簡潔的說明，是十分困難的事情，此處祇能略述其要點。全書是在以數學的方法，說明星體的運動，尤其是對太陽系中力學與萬有引力定律的適用等。全書始於對牛頓自己發明的微積分的解釋；微積分在全書中都用爲計算的主要工具。然後，是有關時間與空間的定義；以及他自己發明的運動定律的說明，這部分附有若干圖解。書中說明最基本的原理是，物體的每一分子都被別的分子所牽引，引力是與分子間的距離平方成反比。同時他也寫出了自然力使星球之間不至於互相碰撞的各種定律。這些定律都用幾何圖形來加以說明。

《數學原理》的第一卷，討論物體在自由空間的運動；第二部分則是討論物體在有阻力的媒介中的運動，譬如在水裡面。然後，關於流體運動的複雜問題逐步討論並予解答，還有有關聲音的速度、波浪的流轉等，他都用數學一一描繪出來。這些工作在外行人看來也許沒有甚麼太大的重要性，但在學自然科學的人則會瞭解，牛頓是爲數理物理學、流體靜力學（hydrostatics）、流體動力學（hydrodynamics）等現代科學奠立了基礎。

推翻了「漩渦」的說法

在第二卷中，牛頓極有力地推翻了由笛卡兒（Rene Descartes）所建立的世界體系。按照笛卡兒的理論，各種天體的運動是由於漩渦。他認爲，所有的空間都有稀薄的流體，因而在某些地方就形成了漩渦。譬如說，在太陽系裡面有十四個漩渦，最大的一個漩渦之中就包含了太陽。各行星的運轉便好像落在漩流中的木屑落葉一樣隨波逐流而去。笛卡兒用這一套說法來解釋宇宙間的引力現象。牛頓在他的書裡面，舉出各種試驗的與數學的方法，證明了「漩渦說與天文學上呈現的事實全然相反，而亦無法解釋各種天體的運行。」

在第三卷題名爲〈世界的體系〉中，牛頓討論了由於萬有引力定律在天文現象上所造成的後果，這是他寫得最精彩的一部分。他說——

「在前面的幾卷中，我確立了哲學的（按：當時用語以哲學代表學問，其意是指科學的）原則；這些原則實非哲學的，而是數學的……這些原理是某些有關力與運動的定律與條件……我對這些定律都予以一一說明，並對更具普遍性的事物特加討論，譬如星體的比重與阻力，各種星球之間的空間，以及光與聲音的運動等。根據此一原理，我展示了世界體系的骨幹。」

牛頓有一段話，特別說明他爲何不把這本書寫成「大衆化」的讀物。他說，他本來有意將第三卷寫成普通人都能看得懂的書；不過他後來又覺得，一個人如果不能深切瞭解前面所講的數學原理，一定就無法完全領悟到這些原理所產生後果的力量，也一定無法撇開多年來積非成是的許多偏見。他說，「爲了避免因此引起無謂的爭辯，所以我將此書的內容，完全簡化爲數學中定理的形式，讀者必先深刻瞭解前面所講原理，才能讀通全書。」

類似之因類似之果

在牛頓的理論中，與過去種種學說不同的一點是，他堅持在地球與各種天體現象之間，並無甚麼區別。他說，「在自然界中，類似的原因就產生類似的結果。譬如像野獸與人的呼吸，像在歐洲或美洲落下了一塊石頭，像廚房中的火光與太陽光，像光反射在地球上和其他行星上。」他這一說法，推翻了過去的想法——有些人認爲在別的世界裡都是十全十美，惟有我們地球上是不完美的。牛頓而後，人們接受了他的解釋，宇宙間都接受一樣的理性的定律，爲人類世界帶來了秩序與體系。

第三卷中所討論的問題，單看目錄已足以令人印象深刻。行星運轉以及衛星圍繞著行星而運轉，在此書中予以確定。測量日球與各行星質量的方法在此書中提出。還有地球的密度、歲差（the precession of the equinoxes）、潮水漲落的理論、彗星軌道的度測、月球運轉的計算等等有關的問題，都一一討論並予解答。

攝動說與地球質量

按照牛頓的「攝動」學說（theory of pertubations），他證明月球是被日球和地球所吸引的；雖然地球對月球的吸引力較強，月球運行的軌跡卻因日球的牽引而有所改變。同樣在其他行星也成了攝動的對象。牛頓一反當時的說法，他指出，日球並非宇宙固定的中心；不過它也受各行星的吸引，正如它吸引各行星一樣；因此循同樣的方式運行。過了若干年之後，由於牛頓的攝動學說，天文學家又發現了海王星和冥王星兩顆行星。

牛頓由計算地球的質量，決定了各行星與日球的質量。他估計地球與水的比重約爲五至六倍（目前科學家使用的數字是五點五），牛頓就在這一基礎上計算了日球、行星與衛星的質量。牛頓的這些發現，被亞當斯密（Adam Smith）稱爲「超乎人類理知與經驗以上」的成就。

然後，牛頓更說明了地球的體積不是正圓形，而是在靠近兩極地方呈扁圓形；其扁圓的程度也經計算出來了。由於靠近兩極呈扁圓形，而赤道地帶漸形膨脹，所以牛頓由此推算出來，在地球兩極的引力必較在赤道爲小——這一現象使他得據以計算歲差；也賴以算出地球軸心如圓錐形般運轉，好像一個迴旋器一樣。因此，由於研究某一行星的形式，就有可能估計出在那個行星上的白日和黑夜的長度。

由於萬有引力定律的適用，牛頓說明了潮汐漲落的原因。在滿月當頭之時，地球便受到它最大的吸力，於是潮水上漲。太陽也同樣有吸引潮水的作用，所以當太陽與月亮轉到一條線上的時候，潮水便漲得最高。

彗星並非不祥之兆

另外一個爲一般人很感興趣的題目，便是彗星。牛頓的理論是，彗星在太陽的引力之下循著橢圓形的路線運動，具有令人難以相信的強大光度，往往要許多年才算「流浪」完成。在過去，彗星曾被認爲是「天心示警」的不祥之兆，經牛頓解釋之後，大家才逐漸相信，彗星乃是天空中美麗而毫無傷害作用的一種現象。牛頓的好友哈雷，運用牛頓的理論發現了所謂「哈雷彗星」，他不但能夠辨識這些彗星，而且能準確地預言，每隔七十五年那彗星就會再度出現一次。一顆彗星一旦被發現之後，它未來的運轉路線就可以很準確地計算出來。這與我們一般相信的彗星一閃而過，瞬即消失的說法，是大爲不同的。

牛頓的各種發明之中，最令人驚奇的一項是他用以估計各恆星之間距離的方法。他的方法，是先測定某一行星上受到太陽反射光芒的量，從而推定恆星的距離；這的確是出乎人的想像之外的。

上帝造成宇宙體系

《數學原理》講的都是宇宙間種種現象，並沒有解釋造成這種種現象的原因；換言之，它祇討論「如何」而不涉及「爲何」。牛頓在此書出版後，爲答覆讀者的批評，曾聲明他的書完全是一種機械式的說明，絕不敢對於至高無上的創造者締造宇宙的最高動機妄加一詞。《數學原理》第二版出版時，牛頓曾在書中加上下面一段自白，以說明他個人的信念——

「這一至美至善的包容了日球、行星、彗星的大系統，惟有出於全知全能的上帝之主張……猶如一個盲人對於顏色毫無觀念，我們對於全能上帝理解萬事萬物的方法，也是一無所知。」

牛頓相信，科學的作用，乃在建立知識；當我們的知識豐富時，便越能瞭解上帝創造世界的道理——雖然，人類也可能永遠都不能發現支配自然界眞正的科學法則。

站在巨人的肩頭上

《數學原理》雖是人類史上最卓越的成就之一，但它卻並非完全從眞空中想像出來的。據柯罕（L. Bernard Cohen）說，「牛頓的作品都是以先進的工作爲基礎。譬如笛卡兒與佛麥特先發明了解析幾何，歐特里德與哈利奧發展了代數，喀卜勒創製了有關運動的定律，伽利略發明了物體下落時的定律。還有伽利略關於速度合成的定律——根據這一定律，一個運動可以區分爲某幾個部分，每一部分都是獨立的，譬如像子彈一般的拋射體，是由一個一直前進的速度與一個下落的速度合成的。上述這些理論雖都先已成立，然必待牛頓的大手筆一出，成爲一綜合的理論體系。因牛頓的天才完成了點燃火炬的任務，最後，在他手中顯示出來一個有秩序的宇宙，是如何受數學定律的規範。」

牛頓自己更是深切瞭解，他的「世界的體系」，他所解釋的宇宙的運作，都是建基在由哥白尼到喀卜勒與伽利略諸大師的發明之上。

他自己曾極懇切地說，「如果我曾經比普通人看得稍遠一點，都是由於我是站在巨人們的肩頭。」

在研究過程中，牛頓也曾遭遇過若干外來的煩擾。在他那個時代，各種新的理論都在醞釀發芽，有很多科學家埋頭苦幹，致力研究。所以，難怪有時候兩個人分頭進行同一個問題的研究，居然在幾乎相同的時候，獲得了相同的答案。這種情形在當時不能算奇怪。這種情形就曾發生在牛頓身上。譬如萊布尼茲（Gottfried Wilhelm Leibniz）曾發明了微積分，胡克曾發明了萬有引力；他們發明的正確時日，實際都較牛頓爲遲，但由於牛頓遲遲不肯發表他自己的作品，在「公諸於世」的先後來講，牛頓都落後了。因此當然引起了若干爭論與紛擾。

當時一般人對於《數學原理》的反應，在英國比歐洲大陸上要熱烈些；不過因爲這本書內容過分艱深，所以影響的擴展很慢。但是，各國科學家們以後終於逐漸接受了牛頓所設定的體系，到十八世紀，便成爲科學理論中主要的支柱了。

出書之後意趣索然

在《數學原理》出版之後，牛頓又活了四十年；說來奇怪，此書完成後，牛頓對於科學研究的興趣一點兒也沒有了。在這後四十年間，他接受了無數的榮譽：安妮女王封他爲爵士，出任過造幣廠廠長，後來又當選了英國皇家學會的會長，自一七〇三年一直到一七二七年他病逝時止，歷二十四年之久。他親眼看到《數學原理》這本艱深古奧的書，出了第二版及第三版。在他的晚年，一直受著英國國民乃至各國知識分子極高的崇敬。

不過，到了二十世紀，科學上的新發明動搖了或修正了牛頓學說中的某些理論，尤其是與天文學有關的部分爲然。譬如說，愛因斯坦的相對論，證明空間與時間都並不是如牛頓所說是「絕對」的。然而，也有許多位科學技術方面的權威學者指出，牛頓的學說與理論，至今仍有相當用處；譬如建造摩天大樓、建造鐵路大橋、研究一輛摩托車的行駛，一架飛機的飛行，一艘橫渡大洋的船艦的航行，空間與時間的測量等，這都是現代文明中的問題，但主要都仍靠牛頓留下來的定律去解決。詹恩士（Sir James Jeans）特別解釋說，牛頓理論「惟有在涉及現代科學中最精微的部分時，才顯得不適用。今天，如果一位天文學家要編航海曆，或者討論行星的運轉，他幾乎完全可用牛頓的定律。一個工程師如果要造橋樑、船舶或火車頭，他也是要用牛頓的定律，就如同這些定律被證明『不適宜』之前一樣。電機工程師也是一樣，無論他是小至修理電話機或大至設計一座電廠。日常生活所需的科學，至今仍是靠了牛頓。仰賴於牛頓那清明透徹的慧心，才將這種科學引上正路。凡是眞正瞭解了他的方法的人，都不會對這些方法之正確有何懷疑。」

愛因斯坦備致推崇

比詹恩士的話說得更好的，是愛因斯坦。這位相對論的發明者雖然修正了牛頓若干理論，但他對牛頓的敬愛並不因此稍減；他說，「對於牛頓來說，大自然便是攤開在他面前的一本書，他能閱讀書中的每一個字母，毫不費力。他是個集試驗家、理論家、工程師，與善於表達的藝術家於一身的人物。」

牛頓在將去世前不久，曾對他自己一生的工作做了一番綜合的評價；這些話正反映了他性格中的謙遜。他說，「我不知在世人眼中我是何等人物。我自覺祇是在大海之濱的一個頑童，在沙灘上尋找一些不尋常的光滑的石頭和美麗的貝殼以自遣；眞理如汪洋大海，依然在我面前，並未被人發現。」

作學問的人，沒有這樣謙抑的態度與淡泊的胸襟，是不容易有大成就的。在科學發展史上，牛頓不僅是一個可敬的偉人，而且是一可親的人物。《數學原理》不是人人寫得出的，甚至也不是人人都能懂的；但那種對眞理的虔敬，對知識的愛好，卻是人人可以學得到的。

天地悠悠・適者生存

達爾文及其《物種原始論》

與林肯同日出生

這是一種很奇怪也很有趣的巧合，在西方歷史上，公元一八〇九年這一年之中誕生的偉人，也許比任何別的一年爲多。這些人不僅在他們的本行中出人頭地，而且多多少少都曾影響到後世歷史的方向。這一年中的名人像英國首相格蘭斯頓、大詩人丁尼蓀、小說家愛倫坡、大詩人白朗甯夫人、文學家霍姆斯、音樂家孟德爾松。更重要的兩個名字，是達爾文與林肯。號稱「生物學中牛頓」的達爾文和在世人心目中視爲「偉大解放者」的林肯，不但都出生在一八〇九年，而且是出生在二月十二日同一天，相差僅僅幾個小時。

在歷史名流之中，絕少有人能像達爾文那樣影響人類思想的趨向與行爲的法則的。「達爾文主義」這個名詞，也像馬爾薩斯主義、馬基維利主義一樣，成爲家喻戶曉的說法。

雖然達爾文學說中的基本原則，現在已爲科學界所普遍接受；但在此之前的近一百年間，學術界爲了他的學說而引起的爭論是相當激烈的。十九世紀美國的「原教旨主義者」（Fundamentalist，因信奉聖經上的創世紀，反對進化論，故名）反對最力。這一股反對的浪潮，自一八五九年就已掀起；直到一九二五年的「猴子訟案」時更是轟動一時，引起世人的注目。這案子是由於一位姓史寇普斯（John Thomas Scopes）的中學教員，在課室中講授達爾文學說，而引起當地教會及社會領袖們的反對，官司打上公堂，史寇普斯因而成爲一時名人。由此可見，世界知識界之接受達爾文學說，是經過不少的波折的。直到二十世紀以還，論辯雙方才逐漸達成了休戰的狀態。

達爾文在青年時代，毫無過人之處，更看不出他成人之後會成爲舉世聞名的大科學家。他出生於清華門弟，先代祖宗之中不是學者便是專家。可是，就連他自己的父親也曾公開表示，對於愛子究竟是否能夠有任何成就，深致懷疑。在文法學校中，達爾文對於那些死的語文深感憎厭，嚴格死板的課程，絲毫不能引起他的興趣。他自己浸沉於化學實驗，以及收集昆蟲和礦石等的樂趣中，常常因此受校長的責備，認爲他荒廢時光，不務正業。

劍橋三年歲月

達爾文年紀稍長，和他父親的先例一樣進了愛丁堡大學（Edinburgh University），那年他不過十六歲，主修醫科。兩年之後，他決定醫科不適合他的個性，乃中途轉學前往劍橋大學。他當時的志願是研究神學，將來做一個英國國教的牧師。

從研究學問的觀點而言，達爾文自認他在劍橋的三年歲月完全浪費了。不過，在這段期間，他得以與兩位極有影響力的教授結識，並一直保持著深厚的友情。一位是植物學教授韓斯婁，一位是地質學教授薛奇威克。在這兩位師長的引導之下，達爾文花費更多的時間作田野調查，收集甲蟲，進行有關自然史的研究與觀察。

由於薛奇威克教授居間推介，使得達爾文應海軍之邀，膺聘爲「獵犬」號（Beagle）上的博物學觀察員，這艘船受命要在南半球地區做一次徹底的調查航行。達爾文在晚年回憶那一次航海遠行的經驗說，「那可以說是我畢生之中最重要的事件。」這次旅行決定了他一生事業。「當初立志要做一個傳教士的想法，在獵犬號上很自然地死亡了。」

自一八三一年至一八三六年的五個年頭，「獵犬號」環遊世界，幾乎遍訪各洲所有的重要港埠與主要島嶼。達爾文在船上的任務，需要負地質學家、植物學家、動物學家和一般科學家的責任——此行彷彿是爲他以後一生的研究寫作生活做了最好的準備工作。凡是他所到之處，他都廣事收集各種動植物；有些是活的，有些是化石；有些是地面上生長的，有些是海洋中的。達爾文以一個博物學家的眼光，調查了陸地與海洋的各種植物區系與動物區系——譬如阿根廷的彭巴斯草原，南美洲安達斯山乾燥的山坡地，智利與澳大利亞的鹽水湖與沙漠，巴西和大溪地的原始森林，南美沿海岸地方與山嶺的地質成分，在海島與大陸上的死火山與活火山、珊瑚礁，阿根廷南部巴塔哥尼亞地方動物的化石（按Patagonia這個地方的印地安人，據說是全世界身材最高的人種），秘魯境內已經絕種的某一種族的人，還有許多偏僻地方的原生動植物。

荒島上新發現

在他所旅行過的地方之中，使達爾文印象最爲深刻之處，是在南美西海岸五百哩外的加拉巴古斯島群（Galapagos Islands）。在這些孤絕世外，渺無人烟，近乎火山口一般的小島上，達爾文發現了活生生的巨龜，這樣大的龜，別的地方祇能從化石中看到。還有巨形的蜥蜴，在世界其他各地早已絕種；還有罕見的海蟹與海獅。他尤其感到驚奇的是，他在這些小島上所看到的鳥，與中南美大陸上的鳥看來頗有相似之處，但一經比較，卻發現實在大不相同。而且，就在這些島群上，此島上的鳥亦與彼島上的鳥各有不同。

達爾文在加拉巴古斯島群上所看到的奇怪現象，再加上他先前在南美大陸上所看到的某些事實，使得他心中醞釀已久的「進化觀」漸漸成型。據他自己說——

「我對於在南美彭巴斯草原發現某些龐大動物的化石，印象甚爲深刻。由這些化石看來，那些動物都像犰狳類動物一樣，渾身都是甲殼。其次，在南美洲，有些血統極近的動物互爲消長，往往由這一種替代了另外一種，越向南方這種情形越是明顯。第三、加拉巴古斯島群上的產物，幾乎都有分別；同樣一種生物，在每一個島上必有一些不同。其實，這些島嶼從地質學的意義來講，沒有一個是十分古老的。」

自此之後，達爾文再也不能相信聖經上〈創世紀〉（Genesis）的理論了。照〈創世紀〉的說法，萬物自受創之始就是完整的存在，一脈相傳，歷千百世而不變，以至於今。

達爾文一回到英國，立即開始在一筆記本上記下來與進化有關的種種資料與見解，收集各種不同生物變化的事實，這就是他的《物種原始論》（*On the Origin of Species By Means of Natural Selection*）開始的一部分。他這本書的第一道草稿於一八四二年寫成，共僅卅五頁；兩年後即一八四四年，重加增訂完成，達二百三十頁。最初，如何去解釋物種的發生與消滅，似乎是一不可解的謎團。物種是如何構成的，又如何因時間之消逝而變化，而分歧爲許多不同的支系，有時甚至完全絕跡世間，其理安在，實在不容易解釋。

達爾文所掌握的解謎之鑰，是當他閱讀馬爾薩斯（Thomas R. Malthus, 1766-1834）的《人口論》而得來的。馬爾薩斯在書中曾表明：人口增殖率因疾病、戰爭、天災等「消極節制」而減緩。達爾文由此推論，既然人類如此，動植物也同樣會因「消極節制」而影響其繁衍。他說：

「由於長期觀察動物與植物生活習慣的結果，我注意到動植物生存競爭的現象無所不在；令我感到震驚的乃是：在這些環境之下，凡能適應的便可以繼續生存，不能適應的便趨於毀滅。其結果可能是形成一種新的品種來。於是，我終於建立了我的理論。」

達爾文的理論，包括有名的「物演天擇」、「生存競爭」、或「適者生存」（Survival of the fittest）等學說，這些學說也就是他《物種原始論》最重要的基礎。

讀遍有關典籍

達爾文埋頭研究歷二十年，不斷將有關資料寫成筆記，來充實他的理論。他閱讀了浩如煙海般的文獻與資料，包括整套的期刊、旅行觀光的記載、關於各種運動的書籍、園藝學、動物飼養學，當然還有有關一般自然史的著作。達爾文曾在日記中寫道，「當我看到我的那份書目時，對於自己的勤學苦讀也有不勝驚異之感。這書目中包括各色各樣的書籍、整套的期刊與學報，都是我曾一一閱讀並加以摘錄的。」

除了閱讀有關文獻之外，達爾文又不斷與各方學者接談通訊，尤其是動物飼養專家與農藝專家爲多。他並且準備了「問卷」，分寄給他認爲可以對他提供有益的知識的人，請人分別答覆。他搜集的資料中一部分乃是各種家禽的骨骼標本，註明了這種家禽的年齡與骨頭的重量，用以與野生禽類比較。他用飼養的鴿子做過種種的試驗。他又用漂浮的果實和種籽在海水中做試驗，還調查了其他與種籽傳播有關的課題。他在「獵犬」號那次遠航中所得有關植物學、動物學、地質學和古生物學的知識，至此都成爲他解決問題的有力工具。在他所收集的各種資料之外，更重要的乃是他自己的種種想法——他對他所設定的革命性理論，一直不斷地思索推敲，並使其完滿充實。

物演天擇之理

達爾文認爲，從「人爲的選擇」之研究中，可以得到證明，成爲對於「物演天擇」這個原則強有力的支持證據。譬如以家畜或實用作物爲例，像牛、馬、狗、貓、小麥、燕麥、花卉等等，人們曾按照對他自己最有利最需要的結果做了「選擇」。正由於人工飼養方式的不同，而大爲影響了很多種家畜、家禽，農業作物和花卉。在其變化的過程中，簡直令人無法再認得出來經過「人爲選擇」以後的品種與它野生的祖先之間還有甚麼關係了。新的品種是經由「選擇」而發展成功的。飼養者或栽培者總是挑選動物或植物中具有他所最需要的特性的那一種加以培育；而且祇把那一種一代又一代地繁殖下去，最後便成爲一種與其本來面目大不相同的新品種了。譬如說，家犬、牧羊犬、獵犬等等，都是由狼的後裔蕃衍出來的。

物種既然可以經由「人爲的選擇」而改變，根據同樣的道理，在「物演天擇」的過程中，當然也會因爲大自然的變化而變化。所不同的是，在「人爲選擇」過程中，主宰者是做爲飼養者或栽培者的人；而在「物演天擇」的過程中，主宰者便是生存競爭。據達爾文觀察所得，在形形色色的生物中，其中有許多種似是注定了要趨於消滅的。僅有一小部份是生來便可生存下去的。有些物種的繁殖僅僅是爲了供給其他物種作食料。這種鬥爭永遠都不停止，由於激烈的鬥爭，使某些不適於生存的動物和植物逐漸滅亡。同時，爲了要達到生存的目的，動植物本身也會因適應環境而發生變化，逐漸形成新的品種。

達爾文爲其理論搜集豐富的證據，他希望這些證據，不僅在數量上要豐富，而且在質量上要正確無誤，無可駁辯。因此，他就沒有時間把他的研究所得整理出版，一直拖到一八五〇年代。這時，由於幾位知己好友的敦促，他才開始將那些汗牛充棟的研究心得與資料、整理編次，準備分爲數卷來出版。

遭受意外影響

不料在他的準備工作進行過半的時候，他遭遇到了驚人的意外事件，他接到一位朋友也是一位科學家華萊士先生（Alfred Russel Wallace）的來信。華萊士當時正在馬來群島從閱讀馬爾薩斯《人口論》得到了靈感，要想探討各種生物的原始。華萊士還隨這封信寄來他的一篇文章，題目是「論物種自原始形態無限變化的趨勢」。達爾文說，華萊士這篇文章簡直和他自己理論的解說全然一致，「如果華萊士曾經得到我在一八四二年所寫的初稿，他爲我那初稿寫一個提要，恐怕都不會比他現在這篇論文更簡潔更精彩了。連他所用的字眼，也正是出現在我的著作各章標題中同樣的字眼。」

達爾文至此深感進退兩難。顯然達爾文與華萊士雖然是各自由不同的方向去著手研究，此刻竟然獲得了同樣的結論。所不同的是，達爾文對這個問題，已經費了好多年的辰光悉心研究。華萊士的觀念則是由於靈機觸動，在一剎那間偶然降臨的。最後，經大家約定，達爾文與華萊士的作品都提交林涅學會（Linnaean Society）去報告。林涅（Carolus Linnaeus，1707-1778）是瑞典的一位著名植物學家。這個學會是爲紀念他而成立。

林涅學會於一八五八年七月一日召開大會。在這次大會上有關「進化論」的理論第一次公之於衆；其後不久，達爾文與華萊士的文章都在林涅學會學報上發表。

由於華萊士論文的插曲，使得達爾文深爲警惕；於是，他暫行放棄了他原來龐大的計畫，摒擋一切，開始專心寫他自己所謂的「提要」。次年即一八五九年底，這部成爲科學史上重要里程碑的大著，由倫敦的出版家穆雷（John Murray）出版。這部書第一版印了一千二百部，在出版的當天就被搶購一空。後來又出了若干版，到達爾文臨終的一年（一八八二年），在英國一國就賣了兩萬四千部，並且已經翻譯成世界上各種重要語文的版本。在一本純學術性的著作而言，其傳播之速之廣，都是很了不起的了。這部書原文的題目甚長：*On the Origin of Species By Means of Natural Selection, or the Presevation of Favoured Races in the Stuggle for Life.*後來漸次省略，中文和英文都是《物種原始論》（*On the Origin of Species*）了。

達爾文整套理論的重要基礎，在《物種原始論》這部書的前四章裡先加討論。繼之又以四章的篇幅，來討論所有似乎可能成立的反對意見。然後，有幾章討論地質學，討論動植物在地理上的分布，以及有關動植物物種分類形態學（morphology），胎生學（embryology）等實證。最後的一章，總結全書意旨，作提要鈎玄的說明。

《物種原始論》描敘了由於人類的控制而發生在家畜家禽和實用農作物上的種種變化。書中又將經由「人爲的選擇」所發生的變化，與經由自然力所造成的變化詳加比較。結論中說，祇要是有生命之處，就一定會有變化。世間沒有兩個生物是完全相同的。

野蜂、貓與鼠

在變化之外，再加上了生存競爭。書中引用了若干令人驚奇的例證，說明所有的有機物都具有奇異的力量，能使其後裔保持著它這一種族維生的能力。即在成長最遲緩的動物譬如大象，不久也會因子孫相繼出世而到處都可見到。達爾文舉例說，「從第一代的一對大象算起，在七百四十年到七百五十年之間，這對大象的後裔將有近一千九百萬頭象子象孫活在世間。」由於這個例子和其他的證據，達爾文引申出來的道理是：「因爲出生者衆，能生存者寡，生存競爭乃是必然之事。有時是某一種生物與同族的生物相爭，有時是與異族的生物相爭，也有是與生存的環境鬥爭。」而就出生的規律上來說，毫無例外，每一種植物，每一種魚，每一種飛禽，每一種走獸，包括人類在內，生育的種籽（後裔），遠比在這個擁塞的世界中所能夠生存者爲多。生物的增殖率都是按照幾何級數而增加的。

各種物種之間互相依存的關係，在《物種原始論》中也用圖表來加以說明。達爾文發現，野蜂的授精作用，乃是三色紫羅蘭受精所必需的。有些品種的苜蓿草也是用了這同樣的方法來傳宗接代的。達爾文在書中指出——

「在任何地區，野蜂的數目，一般說來都與當地田鼠的數目有極大的關係，因爲田鼠經常破壞蜂窠與蜂房。……田鼠的數目，如所週知，又與當地貓的數目直接有關……因此，這番道理是頗足置信的，即在某一地區如果有數目極衆的貓科動物出現，則由於貓類阻遏了田鼠的繁殖，間接幫助了野蜂和某些花草的生長繁殖。」

《物種原始論》又說明了「物演天擇」的原則如何在實際運用中阻止了人口的增加。在同種的生物中，有些可能比較強健，能夠跑得更快，跳得更高，頭腦更聰明，或者對於某些疾病具有抗疫性，或者對於嚴酷的氣候具有較強的抵抗力。這種種條件的不同，就可以使強者以及強者的後裔能夠生生不息，而使弱者漸趨消滅。譬如說，在寒冷地區，白色的野兔可能生存下去，而褐色的野兔因爲不似白色容易在雪地中獲得掩護，就容易爲敵人發現、追捕，最後至於滅種。又如長頸鹿獲得生存，是由於在旱災來臨時，牠們可以靠了長頸，取得在大樹頂端的嫩葉作爲食料；矮頸的品種可就無法生存下去了。這種種變化最後便造成了「適者生存」的現象。經過幾千百年間的演化，許多新物種由這種變化中創生出來。

關於性的選擇

在物演天擇的過程中有一個極爲重要的因素，亦即是達爾文所說的「性的選擇」。他指出，「一般說來，精力最充沛的雄性，在自然界最能適應環境，往往也就會留下最多的子孫……一隻沒有角的鹿，一隻沒有爪的公雞，要想能得到很多子息，是很難的。」在鳥類之中，「競爭的方式常常是用比較和平的方式，」譬如各種不同的雄鳥，在吸引雌鳥時，常常鼓其歌喉，唱出美妙的歌聲，展示美麗的羽毛，或者表演某些特殊的滑稽動作。

在自然選擇之中，氣候也是很主要的一個因素。「酷寒和大旱的季節，似乎是最有效的節制方法。……氣候的作用，初看起來似乎與生存競爭之間沒有甚麼牽連，但是由於氣候的變化，可以大大的影響五穀草木的生長，於是便爲生物與生物之間帶來了最嚴重的競爭，不論它們是否屬於同一種族，祇要它們需要同類的食物，其影響便極爲顯然。」所以，在生物之中，凡是最適宜生存的品種，往往是能受得了嚴寒酷暑，並且能夠取得食物的。

對此種道理，達爾文再加闡釋說——

「自然的選擇遍及於全世界，時時刻刻監視著各種生物中最爲細微的差別，拒斥那些壞的，保存並且增長那些好的。大自然是在默默之中工作，我們的肉眼難明；但是，在任何時間、任何地點，祇要一有機會的話，它都要盡力促進每一種有機體和無機體的生存環境之改進。在經過長時期演變的過程中，我們用肉眼一點也看不出來，一直到時間之巨手鐫刻下時光的痕跡，我們才能察覺。然而，又由於我們對遠古世紀上種種地質變化的知識是如此不完美，所以，我們祇能看得出來某些生物的形式，與她們從前的樣子大大不同了。」

在《物種原始論》這本書的最後一章，達爾文隱示說，大自然的選擇力是無限的。他認爲，「一切在這個地球上曾經生存過的生物，極可能都是導源於一個原始形式，生物最初有呼吸，就是在那個形式之中的。」他相信，所有複雜的生命形式，都是因自然律而存在的。「由於自然力戰爭的結果，歷經浩劫大難而能生存下來的，即所謂高等動物。」各種生物的生生不息。正如地球之不斷旋轉一樣，「極美麗，極神奇」，是自然法則之下的現象，使各種生物都得以生存、進化。

他的兩大貢獻

不過，達爾文並不似世俗傳聞那樣曾「發明」了進化論。進化論的觀念遠在亞里斯多德和盧克歷修士（Lucretius 97？-54 B.C.）之前就已經有了。歷代名流學者，持有這種觀念者甚多，達爾文的祖父 Erasmus Darwin 就是倡導進化論學說的健將之一。不過，達爾文對於進化論學說，具有兩大顯著的貢獻：

第一、他搜集了許許多多無可爭辯的證據，來證明進化的「事實」；他在「舉證」這一方面的工作，超過了在他之前所有的成績。惟其能「拿出證據來」，他的學說便比前賢讜論都更有份量，更令人折服。

第二、他完成了有名的「物演天擇」之說，作爲 對於進化的方法之一種合理解釋，使進化論得到了一種更堅強的基礎。

當《物種原始論》出版之後，在當世所引起的反應，「猶如在儲滿了糧草的糧倉中，燃起了一場熊熊烈火。」當時的人們都想到，如果達爾文的學說能夠確立無誤，則聖經創世紀中有關鴻濛初闢、萬物發生的說法，便很難再取信於人。教會方面也立即看到了達爾文學說對於宗教與神學都具有很大的危險性，因而群起表示反對。達爾文本人對於這種反應，事先也已有所預見，所以在他的書中雖然討論了各種生物，卻故意不以人類作爲討論的對象，也不把他的理論引申到人類身上去，以避免反感。可是，世論仍然對他頗有指責，說他是始作俑者，主張「人是猴子的後裔」。

有人橫加嘲笑

有很多人曾以嘲笑爲手段，試圖貶損達爾文學說的價值。以下的幾個例子是最爲突出的：

有名的《評論季刊》（*Quarterly Review*）發表專文，指斥達爾文「是一個輕狂浮躁之人」，他的書，「都是七拚八湊，信口雌黃，來支持他自己荒誕不經的胡思亂想。」又說，達爾文對待大自然的態度，「乃是對於科學的極端不誠實。」

《觀察者》（*Spectator*）雜誌也對於《物種原始論》深致嫌惡之意。這本有歷史的刊物，指責達爾文，「搜集了許多的資料，去填充他虛僞不實的理論。」又說，達爾文的書，是異端邪說，足以使人心墮落。這本刊物上某一位評論家問道，「如果此書的說法是可信的話，難道說大頭菜祇要是在各種有利的條件之下，最後就會變成人嗎？」

達爾文的一位校友惠威爾，竟下令劍橋大學聖三一學院的圖書館中，「不准有一本《物種原始論》。」

更重要的是，在科學家之中也有若干人表示極端反對的。最保守的人物以英國的歐文

（Richard Owen）和美國的阿格塞茲（Jean Louis Agassiz）爲代表。他們兩人都認爲，達爾文的想法僅是科學上一時的異端，不久就會被人忘得乾乾淨淨。著名的天文學家赫斯凱爵士（John Hearschel）形容達爾文的定律乃是「一團亂絲」。甚至於達爾文當年在劍橋大學時代的地質學教授薛奇威克也認爲達爾文學說是「虛僞造作的惡作劇」，他寫信給達爾文說，「當我讀到你的書時，笑得我肚子都痛。」當時，有一位魏金斯主教，倡議製造一種特殊的火車頭，可以開到空中去。薛奇威克說，「你的書就和魏金斯主教的理論一樣，奇怪得令人無法置信。」

赫胥黎的答辯

然而，達爾文主義亦不乏堅強的支持者。當時最著名的學者之中，如地質學家萊伊爾（Charles Lyell）、生物學家赫胥黎（Thomas Huxley）、植物學家胡克（Joseph Hooker），和美國的植物學家葛雷（Asa Gray）等，都是達爾文的忠實崇信者。達爾文對於赫胥黎倚畀尤深，他稱赫胥黎「是我的總代理」，而赫胥黎則自稱爲「達爾文的拳師狗」。達爾文本人不是個議論縱橫的策士型人物，他從來不曾在公衆之前爲自己的理論有所辯護。達爾文主義的「衛道之戰」完全靠了精明幹練、鬥志勃勃的赫胥黎。

一八六〇年，不列顛學會在牛津大學舉行一次集會，會中討論的主題便是達爾文主義。

代表正面意見爲《物種原始論》辯護者，不是達爾文本人而是赫胥黎。反面陣營中的大砲，是牛津的魏勃弗斯主教（Samuel Wilberforce）。魏主教在發表了一篇措詞凌厲的講詞後，他自認已經將所謂達爾文主義批評得體無完膚，然後轉過身來面對著坐在講壇上的赫胥黎說，「我要問一問赫胥黎教授，究竟是你祖父那一支脈或者你祖母的那一支脈曾經有猿猴的血統呢？」

赫胥黎聽到這話，對坐在旁邊的一位朋友說，「這眞是天賜良機，上帝把他送到我的手上來了。」於是，他就起立答辯說——

「一個人並沒有理由因爲他的祖父是猿猴而感到羞慚。如果說有一位祖先令我想起來就羞慚的話，應該是一個具有才智但卻極不安定、反覆無常的人。他並不以在他自己本行中的成就爲滿足，偏偏要奢談他一竅不通的科學問題，徒然用一些辭藻把問題本身弄得越來越發隱晦難明，又用種種動聽的枝節和飾詞轉移了聽衆的注意力，最後歸結到宗教上的偏見去……」

這是由於達爾文主義而引起的教會與科學之間無數次正面衝突中最早的一次。達爾文本人對於宗教的觀點，在他年事愈長時愈趨溫和。在中年時期，他認爲，「在遙遠的將來，人類將遠較當世的人爲完美。」

可是，在精研學術多年之後，達爾文說，「令人深信上帝的確存在的另一個理由，是出於理智的而非出於情感的，使我深深體會到其重要性。」他說，對此廣大神奇的宇宙之中，包括人類在內，一經前瞻回顧，便可發現如果沒有上帝，便不可能有這一番締造。

談到他的《物種原始論》，達爾文說，「我不能冒充曾對這樣深奧的問題帶來了一絲的光明。萬事萬物的緣起，乃是我們無法解答的問題，以我自己爲例，我寧願仍以做一個不可知論者（agnostic）爲自足。」

掀起學術革命

在《物種原始論》之後，達爾文的筆下又寫了許許多多的著作；每一本書都涉及更爲專門的題目，不過，這些書最精要的部份，都是在於對「物演天擇」而進化的理論加以充實、更新。

在《物種原始論》中，達爾文故意將有關人的起源部份略而不談。他認爲，如果過分強調人的進化，很可能導致社會拒絕他的全部理論。但後來在《人的血統》（*Descent of Man*）一書中，他舉出大量的證據，證明人類也是由低等動物逐漸進化而來的產物。

今天，我們回顧百多年前的往事，達爾文創立學說的影響，可說普及到每一種重要的學術領域；從過去到將來，都是十分深遠的。他的有機進化論已經獲得動物學家、地質學家、化學家、物理學家、人類學家、心理學家、教育學家、社會學家、哲學家甚至於歷史學家與政治學家等普遍接受。所以，艾樂伍德（Charles Ellwood）所說的，「人類思想學術的每一門類，無不受到達爾文著作的影響，尤以生物學、心理學與社會科學為然。由是我們應可獲致一項結論，即達爾文應享受最崇高的榮譽，他是十九世紀所誕生的最具影響力且最有收穫的思想家，不僅在英國，就是在全世界也是如此。達爾文的著作對於人類社會的重大意義，我們現在才逐漸開始理解。」

更有很多學者稱頌達爾文掀起了一次學術革命，他所用的是動態的而非靜態的方法，因而使得由天文到歷史，由古生物學到心理學，由胎生學到宗教，無不因他所提供的方法和原則，發生根本的改變而面目一新。近代科學家不僅重視科學研究所得的結果，也同樣重視研究的方法與過程。所以，達爾文之影響歷史，還不僅是他提出進化論的理論，而更由於他所用的方法，對於學術界具有重大的啓發性。

然而，在另一方面，亦有對於達爾文理論強加曲解，濫加引用，而無疑的是達爾文本人一定會堅決拒斥者。一個顯著的例子，便是法西斯主義者利用「物演天擇」和「適者生存」的理論，作為他們消滅某些種族的藉口。同樣的道理，國與國之間發生戰爭，在法西斯國家認為是使弱者消滅並且使強者繁盛的正當手段。達爾文主義到了馬克思手中被歪曲更甚；馬克思將「物演天擇」的道理應用到階級鬥爭上去了。在資本主義國家，大公司兼併小廠家，也竟引用達爾文的理論，強凌弱，衆暴寡，似乎都有了「理論」的根據。

由於達爾文是一位極爲敏銳的觀察者與實驗者，所以，他的著作中的大部分理論，在科學知識日益擴展發達的今日，仍然能屹立不搖。現代科學的新發現，誠然對達爾文學說有某些修正，不過，大體說來，他在許多學科上的影響都是居於「先知」的地位。

今後的億萬年

赫胥黎的孫子朱利安·赫胥黎（Julian Huxley），也是一位偉大的生物學者，曾就達爾文的畢生貢獻，做了一番最爲精到的總結。他說，「達爾文的著作，使得整個生命的世界都歸屬於自然的法則之下。因而不再需要也不再可能去想像每一種動物或植物都是各別創造的；生物之得到食物，躲避仇敵，亦並非由於有超自然力所規劃的特殊方法；在生物進化的過程後面，並沒有甚麼有意識的目標。如果自然選擇之說正確無誤，則動物、植物乃至人類自身之演化，至今便都是由於自然的原因，正如山嶽之成形，星辰之繞日一樣，是自然而盲目的。這種盲目的生存競爭，盲目的遺傳程序，自然而然選擇了最好的品種，朝著進步的方向發展進化下去……

「達爾文的作品，使我們能更清楚地認識人類在自然界中的地位，以及我們現代的文明在整個歷史中的地位。人並不是一種不能再加改造的定製產品。人類背後已有悠久的歷史，同時在他面前更有再加進步的演化之可能。再者，由於進化論之說的光照，我們學會了應該更加忍耐。人類有紀錄的幾千年歷史，與人類在此地球上已經生存了的千百萬年，以及生命演進的億萬年，是無法相提並論的。當天文學家們保證，在我們之後至少還將有億萬年的時光，使進化的過程得以發展到新的高峰，我們就曉得人類有足夠的時間，應該要發揮更大的耐心。」

赫胥黎的這一番名言，使我們在知識的領受之外，更有一種「念天地之悠悠」的情味；達爾文雖然道出生存競爭的冷酷事實，但也啓示了生命過程的悠久無盡，未嘗不可以鼓勵人們超越「自我中心」的小格局，而以天地萬物爲心。人的求眞求善求美之心，更可以得到如「愚公移山」式的慰藉。一切盡善盡美之事，縱使不能在我們手中完成，但既然進化是一綿延不絕的過程，則我們可以確信終必有可以實現目標的一天。

性・愛・夢與人生

佛洛伊德及其《夢之解析》

在世人的心目中，心理學是最爲神秘隱晦的一門學問。心理學雖亦是科學中的一支，但卻最難提出合乎科學標準的證據。心理學中所研究的問題，乃是自然界中最神秘的現象——人類的心靈。因此，在研究過程中，所遭遇的事例閃爍離奇，出乎意表，乃無可避免的事。在物理學或化學的範圍中，新的理論是否能夠成立，都可經實驗而求得證明。但心理學上的理論與假說，永遠無法藉實驗的方法來證實或推翻。所以，佛洛伊德所創的心理分析學說，曾引起學術界的聚訟紛紜，至今多年猶未平息。

探求不可知之域

但無論佛洛伊德的理論能否用實驗來證實，其對於現代思潮的影響確已極爲普遍，這是不爭的事實。從哥白尼到愛因斯坦，古往今來的科學家之中，恐怕沒有一位能像佛洛伊德這樣對他同時代人類的思想與生活，發生過如此深切影響的。佛洛伊德在探求人類心靈的「不可知之域」的過程中，創出若干空前未有的觀念與名詞，當時是大家聞所未聞的，目前則已成爲我們日常生活中的一部分。實際上，幾乎人類知識的每部分都已受到佛洛伊德學說的影響：文學、藝術、宗教、人類學、教育學、法學、社會學、犯罪學、歷史學、生物學，以及其他以社會或個人爲研究對象的學科，無不感受到；而感覺最敏銳，受影響最顯著，可能是文學。

其實，佛洛伊德學說本身與文學殊少瓜葛，他是儘量要採用客觀的科學方法，來解釋心理現象。由於文學藝術正是心靈活動的產物，所以，承受佛洛伊德學說的影響，反比承受文藝批評家的影響爲大。有位以詼諧筆墨聞名的批評家曾說，「佛洛伊德是人類思想史上最爲敗興的人物。因爲他將人生中一切歡愉溫馨之情，皆一變而爲陰沉慘澹、應加譴斥之事，他在愛情的根源中發現了仇恨，在溫柔的心腑中發現了惡毒，在孝道中看出了亂倫，在慷慨中發覺了犯罪，並且他指出壓制在人們內心深處對於父母的恨意，竟是人類固有的天賦。」

無論大家對佛洛伊德的評價如何，由於他的學說，近代人對於自我瞭解與認識已與前人截然不同。佛洛伊德學說中，如有關意識與潛意識的觀念，如神經病與性的因果關係，如嬰兒時期性觀念的存在及其重要性，如夢的作用，如「伊底帕斯情結」（Oedipus Complex，按伊底帕斯是希臘神話中的人物，曾解答斯芬克斯的謎而成英雄，後來誤殺父親而和母親結婚。佛洛伊德乃借他的名字代表具有親母反父傾向的男孩），及壓制、抗拒、精神轉移等觀念，如今也都逐漸爲大家接受。不過，當他最初提出這些新觀念時，曾遭遇到各方的非難，甚至被視爲異端。佛洛伊德當初所克服的困難，甚至於勝過《天體運行論》作者哥白尼與《物種原始論》作者達爾文。

最得母親的寵愛

佛洛伊德（Sigmund Freud, 1856-1939），出生於莫拉維亞的福瑞堡。他和寫《資本論》的馬克思一樣也是猶太後裔。不過，他不像馬克思之持有反猶立場；他說，「我始終是個猶太人。」他在四歲時，被家人攜往奧地利首都維也納；他的成年歲月，差不多都消磨在那座文化學術中心的名城。他的父親是一個經營羊毛業的商人，他的性格方面受他父親的影響很大；據爲佛洛伊德寫傳記的瓊斯（Ernest Jones）說，他對於宗教常表示懷疑，便是無形中因襲了他父親的態度。佛洛伊德的母親直到九十五歲才逝世，她是一個溫和慈祥而積極活躍的人物。佛洛伊德是他的長子，也是她在兒女中最寵愛的一個。他後來曾在文章中寫道，「一個男人如能始終獲得母親的鍾愛，就能終其一生都以征服者自期。這種成功的信念，往往就能引領他在人生中獲致眞正的成功。」由此可見母愛的重要性。

佛洛伊德早年對達爾文學說深致傾服。他認爲達爾文學說提供了新的希望，「促使我們對於世界的瞭解，將可有極不尋常的進展。」可能是受達爾文的影響，佛洛伊德決心學醫，遂進入維也納大學，至一八八一年，在該校獲得醫學博士學位。畢業後一面在總醫院任駐院醫師，一面繼續研究神經學與大腦解剖學，幾年之後，他得到一個幸運的機會，成爲他日後名滿天下的一個轉捩點。那是一筆進修獎學金，使他能前往巴黎，受教於法國最著名的病理學家與神經病學家夏柯特（Jean Charcot）門下。在巴黎，佛洛伊德親受名師教誨，受益良多，尤其是他能讀到夏柯特有關「歇斯底里」症狀的論著以及他所提出用催眠方法診療的建議，佛洛伊德認爲極有道理。

但是，當他回到維也納後，卻無法使他在醫學界的同道們相信，使用催眠方法來診治精神錯亂有任何科學上的根據。後來，他甚至於因爲一再提出在當時看來是「過激」的想法，被醫院當局下令不准他參加大腦解剖實驗，以示「薄懲」。此後，他遂成爲一個極端孤寂的人，既不能積極參與各種學術團體活動，也不願再在醫院中繼續從事研究工作。

於是，佛洛伊德在不得志之餘，自行開業行醫，又私下進行有關催眠術的實驗。做了幾年之後，又因適當的「對象」很難遇到，而且催眠術對於人的性格總會有不好的影響，所以他不得不放棄了這種實驗。佛洛伊德這時就發展了一套技術，定名爲「自由聯想」（Free Association），後來成爲心理分析學中一種標準方法。

佛洛伊德無疑為近代精神病學的奠基者。在他之前，精神病一詞被認為與「早發性癡呆症」（Schizophrenia）以及交互發作的發狂與鬱悶性的精神錯亂、瘋狂等病象，都是一回事情。因此精神病患者與瘋人一樣，都應該關在瘋人院中去。由佛洛伊德在臨床診療精神錯亂的病人所得經驗，使他不久就獲得結論，內心的衝突非僅在精神病患者會常常發生，就是在正常人身上也同樣會有的。同時，他更指出，精神錯亂並不合公認疾病的條件，而祇是一種心理狀況。他認為，如何治療日益增多的精神病人，是一個重大問題，於是，根據他的觀察、實驗，以及在維也納為許多病人診療的經驗，佛洛伊德在二十世紀之初發表其研究心得，從而奠定了心理分析學的基礎。

《夢之解析》出版

佛洛伊德是近代科學家中著述最豐的作家之一；自他筆下所提供的新觀念，尤其在心理學研究方面的新貢獻，分見他的各種著作之中，很難舉出某一本書或某一篇論文來以概其餘。不過，在他自己心目中，可能他最心愛的作品，也就是他最早完成的一部大著：《夢之解析》（*The Interpretation of Dreams*）。此書於一九〇〇年出版，差不多包括了他所有最基本的理論與觀察。

在一八九五年，佛洛伊德曾寫過一本《歇斯底里之研究》（*Studies in Hysteria*）；他在書中發表了他個人的一種信念，認爲「性的煩悶，乃是各種神經病（Neurosis）與各種精神神經病（Psychoneurosis）主要的病源。」這一說法，成爲後來心理分析學的理論基石之一。此後數年間，佛洛伊德完成了他有關心理抗拒、干擾、童年的性觀念、不愉快的記憶與狂想之間的關係等研究。

心理分析學是一門極爲複雜的學問。此處僅可根據佛洛伊德的研究，略作提要性的說明。首先，我們應該分辨的是「精神病學」（Psychiatry）與「心理分析學」（Psychoanalysis）這兩個名詞並不是一回事。心理分析學是精神病學中的一個支派，通常適用於最嚴重的性格不穩定的病例；所以，也可以稱之爲診治神經錯亂和神經過敏的方法。根據一九五六年報告，全美國登記有案的四千餘位精神病醫師之中，祇有三百人是心理分析專家。由此可見心理分析是需要專精研究的。

佛洛伊德的研究，專注於個案診療。有許多精神失調的病例，他認爲都是現代世界中經濟、社會和文化失調的病徵。他要從個人身上著手，對社會病象做斬草除根式的根本治療。

無意識與冰山

大多數批評家都同意，佛洛伊德能享有不朽的聲名，是由於他對於無意識（unconscious）的發現與闡釋。按佛洛伊德的說法，人心好比汪洋大海中的冰山，一座冰山的體積，有九分之八是隱藏在水平之下；人的心理活動則大部分隱蔽在無意識之下。在表面活動背後，如一個人言行舉止和思想的動機、感覺、目的等等，不僅對別人要掩飾，甚至常常連對自己也要掩飾。在佛洛伊德心理學體系之中，無意識居於極高之地位，而有意識的行爲則不過陪襯而已。他認爲，惟有能了解深不可測的無意識，然後才能眞正了解人的內心與性格。佛洛伊德斷言，人類大部分的思想都是無意識的，僅在偶然情況下才是有意識的。無意識的活動就是精神病的來源，因爲人總想要把在他自己無意識中所潛存的不美滿的記憶和受阻撓的期望，都能予以排除；但事實上卻往往並不能做到，而衹是把那些記憶與願望暫時「儲存」起來，種下來日的「亂源」。

三種不同的層次

佛洛伊德將一個人的心理活動，區別爲三個層次，他分別定名爲「本能衝動」、「自我」與「超自我」。其中最重要的是「本能衝動」。「本能衝動」（Id）這個字，在生物學上是指細胞原質的單位，佛洛伊德將它列入精神分析學領域，他說，「本能衝動所統御的天地，就是我們性格中最隱晦而不可穿透的部分。我們對於本能衝動極爲有限的一點瞭解，是得之於對夢境的研究和對精神病人病狀的分析。」「本能衝動」是人的原始特性以及與生俱來的種種衝動，其來源可能追溯到人類與禽獸爲伍的時代，那時期，人與野獸沒有什麼分別，人對「性」的看法也和野獸一樣純然是順乎自然的。

佛洛伊德又說，「本能衝動包含了人類自遺傳中所承受的一切，它是與生俱來的，存在於人體的先天構造之中。」本能衝動是盲目的、無情的，其目標是在追求滿足、追求樂趣，而不計後果。用德國大小說家托瑪斯·曼（Thomas Mann）的話來說，「它不懂價值，不辨善惡，更無所謂倫理道德。」

一個初生的嬰兒，便是「本能衝動」最現成的樣子。他要吃奶，要睡覺，要受人愛撫；有任何使他不舒服的事，他就嚎啕大哭。但是，當他由嬰孩而成長，年齡越大，「自我」發展跡象也越爲明顯。

「自我」與「超自我」

「自我」（Ego）不像「本能衝動」那樣僅以追求樂趣爲滿足，而是由認識到現實的原則所指揮。「自我」已經充分注意到在他身外所存在的世界，並且已經明瞭「本能衝動」無法無天的傾向必須加以節制，以免使個人與社會中既有的法令規章相衝突。照佛洛伊德的解釋，「自我」乃是魯莽的「本能衝動」與外在世界重重法條之間的仲裁人。因此「自我」便成爲各種「本能衝動」的檢查者，在「本能衝動」發作之後，成爲具體行動之前，按照現實情況來加衡量，有所節制，個人之能避禍趨福，不與社會衝突，避開了社會的制裁，便是由

「自我」節制的作用。但是，當「自我」與「本能衝動」的衝突太強烈、摩擦太頻繁的時候，便會使人得精神病，因而嚴重影響本然的性格。

在心理活動過程中的第三個要素，即「超自我」（super-ego），「超自我」也可泛稱爲「良知」（conscience）。關於「超自我」的界說，美國佛洛伊德學派最重要的學者布瑞爾（A. A. Brill）曾在論文中加以闡釋：

「超自我乃是人在心理演變過程中所達到最高境界，其中包括所有禁令的凝結體。這些行爲的規律，乃是一個人在幼年由其父母（或代替父母教養之責的人）身上所得到的印象。人具有良知之感，完全是由於他的超自我發展而來的。」

「超自我」與「本能衝動」一樣，也是無意識的。這兩者之間的衝突摩擦永無休止，而以「自我」爲裁判員。世間所謂的道德和行爲準則等，都以「超自我」爲本源。

當「本能衝動」、「自我」與「超自我」能夠和諧一致時，這個人會覺得心地安詳、生活愉快。如果「自我」容許「本能衝動」一意孤行，無所忌憚，「超自我」便會深爲困擾，在良知深處有了犯罪之感。

佛洛伊德上面這一段分析，不僅對於個人的心理分析深刻，同時，也可適用於社會心理的解釋。如果個人與社會不能和諧，常有衝突，不正常的人越來越多，不正常的心理越來越流行，社會本身當然也無法保持正常和諧了。

性與創造的關係

佛洛伊德創建與「本能衝動」密切相關的另一個新觀念，即「生命力」說（libido）。libido是拉丁文，原有欲望和性欲之意，在佛洛伊德學說中則認爲，所有的「本能衝動」，其中都充滿了生命力，也就是libido。這種力量是以性爲基本性格的。「生命力說」被稱爲「心理分析要義」。人類所有的文化成就，如藝術、法律、宗教等，都是「生命力」發展的結果。不過，在佛洛伊德理論體系中，「性」之一詞含意廣泛，不限於男女之事。譬如嬰孩吮手指、抱奶瓶、和排泄動作等，都有性的意味。及其年齡漸長，「生命力」的發洩，可以透過婚姻關係轉移以另外一個人爲對象，也可經由醫學上所謂「性慾倒錯」（sextal perversion）而得到滿足，更有的人藉了在文學、藝術、音樂創作，表現其「生命力」。這種程序在精神分析學上稱之爲「轉移」（displacement）。依佛洛伊德的意見，性的本能乃是一切創造性工作最重要的根源。

在父母兒女之間

心理分析學說引起爭議最多的一點，就是「生命力」在童年時期所發生的影響，佛洛伊德認爲，由於這種影響，小孩子對他的雙親也會發生與性有關的感情。此一說法不僅在一般人聽來荒唐無稽，甚至心理學家之中也頗有人認爲是離經叛道。

照佛洛伊德的說法，嬰孩由於在母親的懷抱中受哺育之恩，吃奶時可得到官能上的快感，因而對於母親發生一種執著的愛情。及其年齡稍長，男孩子會對母親發生強烈的性衝動；而對於父親則又怕又恨，視爲與他競爭母愛的對手。女孩子則恰恰相反，她可能與母親的關係漸漸疏遠，暗中戀慕她的父親；把母親視爲一個對手或障礙。

以上這種情形，發生在男性身上時，便稱爲「伊底帕斯情結」，以希臘神話中弑父娶母的伊底帕斯爲名。佛洛伊德指出，伊底帕斯情結絕非僅神話作家的想像，而是人類的祖先的遺傳，據說人類的遠祖因嫉妒弑父，是有先例的。不過，正常的人在性格發展成熟之後，都可超越了伊底帕斯情結的困擾。但也有些性格孱弱的人，一生都被這種情結所困，演出一連串的悲劇。

精神病與性觀念

佛洛伊德宣稱，「所有的精神病患全都是性機能受到妨害所造成，無一例外。」而且，精神病之發生，不能祇歸咎於失敗的婚姻或在成年後不幸的戀愛事件，而可以追溯到其童稚時期性的情結關係，此所謂之情結（complex），是因過度抑制本能而形成。心理分析學上稱爲「潛在意識複合體」，也就是俗稱的變態心理。

佛洛伊德曾將其理論運用到人類學上，寫了一本《圖騰與塔布》（*Totem and Taboo*）。「圖騰」是北美印第安人等野蠻民族所崇拜的一種標記的天然物，他們認爲「圖騰」是與他們個人或種族有密切關係，因而需要加以尊崇；譬如有些種族自認與狼有血統關係，便以狼的身體一部分做爲圖騰。「塔布」則是南洋群島上的土人們，因宗教關係不許接觸或接近的東西；因此，「塔布」一詞引申爲禁忌之意。佛洛伊德在那本書的結論中指出，「原始人類中對於自然與宗教的種種神秘感，都是父性或母性情結的產物。」他相信所謂宗教也者，祇是人內心中父性情結的表現，佛洛伊德在分析了好幾百件向他求診的病例之後，建立了他的理論，將性的本能與性的需要在形成人格方面的作用大大提高；同時，他強調了性的挫折是形成精神病的主要原因。佛洛伊德這一論斷，引起的爭論甚多，許多著名的心理分析學家都不同意他的說法。

意識流與聯想

由於人受到社會的強制，把他自己的許多衝動都壓制下去，於是，在內心深處不知不覺累積了許多「壓制」的事，佛洛伊德用的名詞是 repressions。在正常情況之下，一個人的良知可以抑止那「黑暗的無意識的力量」在經過壓制後再衝出樊籠。有些精神病患者由於這種自我檢束作用，能經歷多次的情緒擾亂。佛洛伊德認爲，心理分析治療法就是去發現病人心中壓制的究竟是什麼，並且用「判斷」的方法，協助患者糾正其病態。不過，由於患者內心所要壓制的大都是很痛苦的事，所以他往往要設法加以掩飾，不願被別人發現他的隱衷。佛洛伊德稱之爲「抵制」；患者的「抵制」乃是負責診治的醫師必須克服的。

佛洛伊德發明來對付「壓制」和「抵制」的方法，稱爲「自由聯想」。在此，佛洛伊德用了一個目前爲文學常常引用的名詞，即所謂「意識流」（stream of consciousness）。他認爲，患者如果能在一間光線陰暗的房間裡，臥在醫師診療室的躺椅上，然後隨著他自己的「意識流」談話。醫師應該鼓勵他「想到什麼地方，就講到什麼地方。」據佛洛伊德說，這種「自由聯想」的方法，是惟一有效的精神病治療法，「它可以將患者壓制在內心深處的事引導出來。」

照布瑞爾所描寫佛洛伊德運用心理分析的程序是：首先要患者不要有任何思慮，心神集中；然後，隨他想到任何念頭，一五一十都要說出來。如此，他就可以到達「自由聯想」的狀況，由他的話裡面可以追查出病象的根源。往往要反覆診療幾個月，致病的眞正原因才漸次明朗化；那病因往往使患者感覺痛苦、恐懼、厭惡，所以是在潛意識中急欲忘掉的事情。

經過這樣診療之後，醫師方面可以獲得無窮的資料；當然，其中大多數都是散漫無歸，不成條理，沒有什麼用處的。所有資料究竟能有多少價值，完全要看那位主治醫師如何去分析。據專家們說，同樣資料可以用種種不同的方法去分析解說。所以，醫師的學識、才智、和經驗，在進行分析過程中最爲重要。

在使用心理分析方式治療患者的過程中，佛洛伊德發現了他稱之爲具有「出乎夢想之外的重要性」的因素，即在分析者與被分析者之間的情感關係，他稱爲「轉移」或「轉嫁」（transference）。據他說，精神病患者並不是把醫師看做他在現實生活中的顧問或救星……正相反，病人是把那位醫師看做他自己童年時期某一重要人物的復生；因此，他對於那位醫師的情感和反應，完全不是對醫師，而是對他心目中念念不忘的某種典型人物的態度。

「轉移」作用可能區分爲極端不同的種種層次，從極端的熱情，完全的性愛，以至對於某種仇恨、煩惱、毫無掩飾的反應。那個醫師在這種情況下，一定會被看做患者的雙親之一，不是父親，就是母親。佛洛伊德認爲「轉移」正是做心理分析治療的最佳手段。如何運用「轉移」的作用，乃是心理分析中最困難而又最重要的技巧。佛洛伊德建議，問題的解決是要設法先使患者相信，他正再度經歷一種以其童年生活爲根源的情感關係。然後，他才會對於負責分析的醫師表示信賴。

進入了夢的世界

佛洛伊德發明了另一種方法，用來探求人的內在的衝突與情緒的發展，行之亦頗有效。那便是「夢的分析」。在這方面佛洛伊德也是一位先鋒。在他之前，一般都認爲夢是沒有意義也沒有目的的。他所著的《夢之解析》（*The Interpretation of Dreams*）一書，是世間第一本用嚴肅的科學方法研究夢這一現象的著作。此書原用德文所寫，原名 *Die Traumdeutung*，一九〇〇年出版，全書不過三百七十五頁。英譯本出於布瑞爾之手，一九一三年出版。

當《夢之解析》出版後三十一年，佛洛伊德曾很得意地說，「即使我今天來判斷，此書中所包括有關夢的發現，仍是最有價值的；我能得到這些發現，可說是幸運之至。」照他的說法，假設每一個夢就是一個被壓制的願望獲得了偽託的滿足。每一個夢都代表內心世界的一場戲劇。「凡戲劇都是由衝突而產生的結果，夢是睡眠的守護者。」他解釋，夢的功能是在幫助而非擾亂人的睡眠，可以使人解除由某些願望無法實現所造成的緊張情緒。

依照佛洛伊德的觀點，夢的世界是被無意識的本能衝動統治著；夢的重要，便是由於它能引導從事心理分析的人，能深入患者的無意識之中。在無意識裡，潛存著患者所有的原始願望和感情需求——這些願望和需求在有意識的日常生活中，都被「自我」和「超自我」壓制了下來。譬如人亦有野獸一樣的欲望，這些欲望往往因良知的制約而在夢境裡出現，然而，即使在夢境中「自我」與「超自我」依然發生警衛與檢查的作用，因此，夢所表現的意義往往是不明顯的；其意義是通過了象徵才表達出來，需要專家來解釋。《夢之解析》一書中提供了數百例證，都經佛洛伊德一一分析。

日常生活的錯誤

佛洛伊德於一九〇四年又出版過一本《日常生活的精神病理學》（*The Psychopathology of Everyday Life*）。他認爲，人們在日常生活中無意造成的錯誤，都可看做一種「病徵」。「那些錯誤並非完全意外……它們都是有意義的而且可以解釋的。」譬如說，你把某一個人的姓名忘記了，這可能由於你根本不喜歡叫那個名字的人。又如你因爲記錯了時間表誤了火車，那可能因爲你本來就不想趕那班火車。如果一個丈夫遺失了或者忘記帶他家大門的鑰匙，可能是因爲他的家庭生活十分不愉快，他在潛意識中不願意回家。這一類日常生活中的病態行動，都可有助於心理分析家們洞察無意識中隱蔽的事情。

此外，像說笑話也同樣可以洩露一個人的內心。佛洛伊德說，說笑話「是現代人最好的安全瓣。」現代人內心中很多的禁制，諸如社會禮法與習俗等，令人多所顧忌。在說笑話時，至少可以獲得暫時的解脫。

佛洛伊德去世的前幾年，由於他自己的極端悲觀思想，使他一心一意要去鑽研所謂「死亡本能」。他把這個觀念看得與「性的本能」同等重要。他認爲，一切有生之物皆自無機狀態而來，都有「死亡本能」以回返虛無。照此一觀點，人便時常在兩種相反的力量牽扯之下：其一是求生欲望，這便是性的本能；相反的力量便是求寂滅的欲望，也就是死亡本能。

當然，在人生終結之時，「死亡本能」總是獲得最後勝利。佛洛伊德認爲，人世間有戰爭，「死亡本能」是要負責的。此外，如由於種族或階級等所引起的偏見，又如動用私刑，以及像鬥牛一類殘忍的運動，都與「死亡本能」有直接關係。

佛氏學說的修訂

以上所說，便是佛洛伊德學說體系的大要。當今之世，在精神病學專家中，由於對佛洛伊德學說抱贊成或反對的態度而分裂成好幾個互相對立的陣營。在過去六十年間，甚至於他的門下弟子也都分別將他的學說加以修正。譬如其早期的信徒之一阿德勒（Alfred Adler）脫離了佛洛伊德學派，因爲他認爲佛洛伊德過分強調了「性的本能」之重要性。爲了提供不同的理論，阿德勒的學說中指出，人的行爲的主要動力，是要想證明他自己的優越性。他由此引申出「自卑情結」的觀念；人是爲了要被旁人「承認」而不得不努力。所以，自卑感在某方面說也有積極的意義。

另外一位有名的心理學家瑞士人容格（Karl Jung），亦爲佛洛伊德的弟子後來在學術上別樹一幟的。他也是要把佛洛伊德學說中「性」的重要性減至最低。他把人分爲兩種不同的心理典型，一是外向的，一是內向的。他承認每一個人都具有這兩種不同的性向。容格的理論強調遺傳因子對於形成個性極爲重要。

心理學家與佛洛伊德學說「分家」大都由於他堅持的一些特殊論點，如童年與精神病的關係，如性能力與形成個性應居於關鍵地位等。也有人指出，佛洛伊德把「自由聯想」作爲探求「無意識」的最佳技巧是有問題的；尤其對於那些資料的解說，困難重重，所以並不算完全可靠。

不過，有一位學者指出：「六十年來的演變與發展，皆不足以抹殺佛洛伊德的地位與影響，他打開了無意識的領域。他指出無意識是如何影響我們，成爲我們現在的樣子。他的許多觀念和學說，都已被繼起的學者根據新的經驗而加修正。不過，那些繼起的人頂多祇能說是寫了聖經中的新約。惟有佛洛伊德寫的才是舊約。他的著作至今仍是最基本的。」

佛洛伊德的貢獻

當代對精神患者的態度，受佛洛伊德的影響極大。譬如馬丁（Alexander Reid Martin）曾說，「無論大家是否承認，目前所有精神病院和心理療養病院，都在應用佛洛伊德心理學的基本理論。從前，人們認爲不可知的無意識世界，既無目標，亦無意義，從佛洛伊德的解釋之後，不但使其含義顯明，而且極有趣味，極有吸力；其重要性非僅爲醫學界所承認，而且也被社會科學家所接受。」

同時，佛洛伊德思想對於文學藝術的影響，也同樣顯著。在小說、詩、戲劇及其他文學形式中，佛洛伊德所創動機說的影響，近年來到處可見。這並不是說文學作家都要熟讀佛洛伊德著作後才能寫作，而正足以反證，佛洛伊德的分析是合乎人生實際的——至少在近代的人生是如此。正如美國小說家兼批評家戴華圖（Bernard De Voto）所說的，「沒有其他任何一位科學家，能像佛洛伊德一樣，對於文學發生如此強烈而深遠的影響。」他的學說對於繪畫、雕塑、以至整個美術世界也都有著深刻的影響。

由於佛洛伊德興趣廣泛，而他的著述與發明引起的辯難又多，所以要想用簡單幾句話來說明這位偉大天才多方面的貢獻，實在很不容易。英國作家漢彌爾敦（Robert Hamilton）曾試作「蓋棺論定」的評價如下：

「佛洛伊德提高了心理學的學術地位，他是一位偉大的先驅者，他的成功是由於他具有創始性的才華和優美的文學風格。雖然他的學說都具有虛無主義的性格，但其整個理論體系卻是極有原創性而又極有興味，非其他學說可比。而且，除了純文學作品之外，很少有其他著作能像佛洛伊德的大作這樣吸引人。他使得全世界都要按照心理學的方面去思想——在近代，這是極爲必要的事；同時他又迫令人們對自己切身利害攸關的重大問題提出質問。從十九世紀森嚴的學術性的心理學中，佛洛伊德帶來了入世的心理分析學，以資對照……」

美國名精神病學者華森姆（Frederic Wertham）從另一個觀點表揚佛洛伊德的貢獻，他說，「……佛洛伊德替研究人格與精神病理學的方法，帶來了三項基本改革：第一，他將精神病視爲一種心理變動過程，他按照自然科學通用的邏輯思考問題。這是由於他介紹了有關無意識的觀念和解釋無意識的實際方法之後，才成爲可能之事。第二，他在精神病理學方面引我們走入一個新的境界：童年。在他之前，精神病學似乎把每一個人都當做是伊甸園中的亞當——從來不曾經歷過童年時期，是佛洛伊德發現了童年時期的重要性。第三、他對於性本能的創見，他的眞正發現並不是說小孩子們都有性生活，而是性的本能也有其童年時期。」

佛洛伊德晚年的最後幾個月，是在流亡中度過的。當納粹勢力佔領奧地利後，他被迫於一九三八年離開了維也納。他在英國獲得政治庇護，但不幸因口腔生癌，於一九三九年九月逝世。

當代學者歐文赫塞（Winfred Overholser）的論斷，也許並無誇大溢美之處。他說，「我們有一切的理由可以深信，自今而後一百年間，佛洛伊德將被尊奉爲與哥白尼和牛頓同等的偉人，他們都曾爲人類開啓了思想的新遠景。而且，我們可以斷言，在當代學術著述之中，沒有一本能像佛洛伊德那樣對人類的心靈活動投下光芒，使其易於爲人瞭解的。」這些推崇之詞，佛洛伊德確能當之無愧，他對於「人心」的解說和影響，實具有劃時代的重要性。

原子時代的教父
愛因斯坦及其《相對論》

歷史上眞正能影響後代、流芳百世的人物，往往是在身後始克享盛名。像愛因斯坦（Albert Einstein，1879-1955）可算是極罕見的例外之一；他在生之年便已被人們奉若神明。一般外行人心目中，越是無法理解他的學說之奧妙，就對他這個人越是感到好奇、尊敬，甚至認爲他是高踞在奧林匹亞高峰之巓，自神仙境界中對塵世發言。英國哲學家羅素（Bertrand Russell）的話說得很妙：「人人都曉得愛因斯坦完成了一些驚人的事業，但卻極少有人眞正瞭解究竟他做了些甚麼。」有人說——不過這話未必正確——全世界眞正瞭解愛因斯坦的理論的人不會超過十二個。然而，千千萬萬好學深思之士，都在潛心研討，要明瞭這位偉大的數理魔術師所說的話究竟眞義何在。

時間是四度空間

愛因斯坦理論之難於瞭解，是由於他研究的範圍、性質極其複雜艱深，布理奇士（T. E. Bridges）曾引述一位未透露姓名的英國科學家的話，來解釋愛因斯坦所研究的對象：

「愛因斯坦的理論，在研究物理與數學之間的關係，而這種關係惟有用數學的術語才能加以闡釋。如果一個人沒有高深的代數方面的知識，則愛氏的理論無論用甚麼方式表達，也不可能瞭解的。」

另一位學者葛雷（George W. Gray）則說——

「相對論是由其作者藉數學的語言表達出來的。當然有很多人想用日常的口語來翻譯它。這正如有人要用薩克斯風（Saxophone，一種菸斗狀的喇叭）來演奏貝多芬的第五交響樂一樣的行不通。」

愛因斯坦理論中的某些要點，畢竟仍可以不必憑藉數學上的象徵符號而加以說明。不過，我們首先需要在心理上準備接受一個充滿了狂想的世界觀，千百年來視爲金科玉律的道理與觀念，在愛因斯坦理論中都爲之改變了。譬如說，照他的理論解釋，空間是曲線的；兩點之間最近的距離並非一條直線；宇宙是有定限的但沒有一定的疆界；平行線最後仍必相交；光線是曲折的；時間是相對的，所以不能在任何地方都用完全同樣的方法去衡量；長度是隨著速度而改變的；宇宙是圓柱形的，而不是如過去所相信的球形；物體在運動中，大小將要收縮，但質量卻要增加；除了大家已經熟悉的高、長、寬等空間觀念之外，還有一個四度空間，那便是時間。

愛因斯坦對於科學的貢獻不勝枚舉，但是，他之能名震當時，流傳後世，主要是由於他的相對論——他在這方面的成就，霍夫曼（Banesh Hoffman）曾加以總結說，「《相對論》具有劃時代的意義，使其作者可以置身於古往今來最偉大的科學家之林，與牛頓或阿幾米德分庭抗禮……」

二十六歲的論文

愛因斯坦的革命，始於一九〇五年，最先是在德國的一本《物理學年刊》（*Annalen der Physik*）上發表了一篇論文。論文的題目是〈論運動物體之電子動力〉，全文共三十頁。愛因斯坦當時年僅二十六歲，在瑞士國家專利局裡面擔任一個小職員。這篇論文一發表，便引起了學術界人士的注目。

愛因斯坦是在一八七九年出生於德國巴伐利亞地方的烏姆城裡一個中產階級的猶太家庭。在讀書時期，除了數學一門之外，其他課程都並沒有甚麼特殊的表現，惟獨在數學方面，他自幼便顯得是一個能夠舉一知十的天才。但不幸由於家境中落，他在十五歲時便不得不自立謀生。後來移居瑞士，進入蘇黎士的科技學院，繼續接受科學教育。在學時期與一位女同學結婚，並取得瑞士國籍。他爲了謀生，暫時放棄了想做大學教授的野心，在專利局中獲得一個比較穩定的職務，就是把那些申請專利的發明者們所塡寫的申請書，加以整理或重寫。這份工作不太忙，因此，他在公餘之暇，便致力苦讀自修，遍覽古今哲學家、科學家和數學家的著作。不久就發表了第一篇論文，成爲他畢生對於科學許許多多貢獻的第一聲；這篇論文引起了廣大的反響。

相對論兩項假設

愛因斯坦在他一九〇五年發表的論文中，提示了相對論的主旨，向人類對於時間、空間、物質與能的既存觀念，展開挑戰。他的理論是以兩項假設爲基礎的。第一個是相對原理：一切的運動都是相對的。比較容易爲人理解的實例，是行進中的火車或輪船：一個旅客坐在火車裡面，車窗關得嚴嚴的而且遮蔽得黑黑的，如果途中沒有甚麼震盪，則這個旅客很可能對於行車的速度與方向都毫無感覺，甚至於會連這輛車是否正在行駛也無所知覺。一個坐在輪船上的旅客，如果房艙門窗關得緊緊的，很可能也會有同樣的錯覺。我們感覺到運動，完全是由於相對的觀念而來，也就是與其他物體相比較而來。就人生環境中較大的一面來說，如果沒有其他天體星球的運動，我們人類可能根本就不會發現地球是在不斷運轉之中的。

愛因斯坦的第二個重要的假設，是說光的速度與光源之運動無關。光的速度合每秒鐘十八萬六千哩，是永遠不變的，無論在宇宙中的任何空間、任何地點、任何時間、任何方向。譬如說，光線在一列行進中的火車上，其速度與它不在這列火車上是一樣的。沒有一種力量能夠使光的速度加速或減緩。再者，宇宙間沒有任何其他東西的速度可以超過光速，電子的速度也祇是差相近似。因此，也可以說是自然界唯一永恆不變的因素。

有兩位美國科學家麥可森（Albert A. Michelson）與毛雷（Edward Morley）曾於一八八七年舉行了一次有名的實驗，使得愛因斯坦的光學理論獲得了有力的根據。（麥可森出生在德國，後入美籍，一九〇七年曾獲諾貝爾物理獎。）

他們兩人的試驗是製造了一套特殊的設備，來測量光的速度。他們用兩條管子，安排成直角的方向，每條管子的長度是一哩。其中一條管子，是對準了地球繞日球運轉前進的方向，第二條管子則與地球運轉的方向相反。在每條管子的盡頭各設一面鏡子，有一縷光線在分毫不爽的同一時間射進了這兩條管子。在那以前的理論是說，在所有凡是沒有被固體所佔據的空間之中，都有一種看不見的「以太」（ether 即能媒）存在著。一組光線的照射，極似一個游泳的人逆流而上，而另一組光線則好像另一個游泳的人順流而下。可是，在這一個試驗中，儘管這兩條管子的方向有別，兩組光線都同時反射回來，一秒鐘都不差。當時，大家認爲這次試驗是一場失敗。否則的話，便是當時大家都已信之不疑的假說是有錯誤的。

否定以太的存在

愛因斯坦一九〇五年的論文，解答了麥可森、毛雷以及當世其他物理學家們的困惑。根據他的理論，否定了所謂「以太」的存在，不過他承認麥可森等的試驗很正確地測量了光的速度。愛因斯坦由此得出來的重要結論是，光的速度永遠是不變的，無論是在甚麼情況之下去測量都不受影響。地球環繞著日球的運動，對於光速也並無影響。

愛因斯坦的理論與牛頓的學說不同；他認爲並沒有所謂「絕對運動」那回事。一個物體在空中發生絕對運動的觀念是毫無意義的。任何一個物體的運動都與另外的物體有相對的關係。運動是一切物體的自然狀態。所以，在地球上乃至整個宇宙之中，沒有任何東西是絕對靜止的。在我們的宇宙之中，由最細小精緻的原子，到渺無際涯的天體銀河，都在不停地運動。譬如說，地球繞日而行，速度是每秒鐘二十哩。在一個一切常動，沒有任何一個點是永恆不變的宇宙之中，要想去衡量速度、長度、面積、體積和時間，都沒有一個既定的標準，所以惟有靠相對的運動作爲測度的依據。惟有光線不是相對的，它的速度永遠是一秒鐘十八萬六千哩，不論它是由甚麼來源，也不論觀察者是在甚麼位置，其速度是經常不變的。他引用麥可森與毛雷的試驗，來解說他的道理。

在遙遠的星辰上

愛因斯坦理論中最難於理解也是最與傳統信仰不合的，乃是時間的相對觀念。愛因斯坦說，在不同地方的事物，雖在一個觀察者認爲是發生於同一時間，在另一個觀察者看來卻未必如此。他舉例說，譬如一個站在地上的人，觀察到有兩件事情同時發生；可是，如果另外一個觀察者是在火車上或飛機上，他所看到的情形就不一樣，絕不是同時發生的了。所以他說，時間是因觀察者的位置與速度而相對變動，它不是一個絕對的因素。他將這個理論引用到宇宙中去，假定在一座遙遠的星辰上發生了某一事件，譬如說一次爆炸，被地球上的居民觀察到了；但那爆炸發生的確實時間與地球上的人觀察到爆炸的時間，絕不相同。恰恰相反，儘管光速快到一秒鐘十八萬六千哩，由於星球與星球之間距離遙遠，一座遙遠的星球上所發生的爆炸，也許要經過好幾年的時間才能傳達到地球上來。我們今天在地球上所看到的星辰，實際上是很久之前出現的；也很可能是我們明明看見的星辰，事實上已經並不存在了。

依照《相對論》的理論，如果一個人能夠具有比光速更大的速度，他便可以重遊「過去」，而他的出生可以發生在「未來」。每一座行星上有其自有的時間體系，彼此各不相同。在地球上，所謂一天便是地球的軸心自轉一周所需要的時間。又如木星環繞日球一周的時間比地球繞日一周的時間要多，所以木星上的一年也就比地球上的一年要長得多。速度越增加，時間反而越慢。我們對於任何一種物理現象中的物體，都習慣於用三度空間（即長、寬、厚）去想像；但是，愛因斯坦強調，時間是空間的一種度量，而空間也是時間的一種度量。無論時間或空間，都無法單獨存在；因此，我們可以說時間與空間是互爲依存的。由於運動與變易是經常的現象，我們是生活在一個四度空間的宇宙之中，時間便是第四度空間。

愛因斯坦的理論提出後，至今已近百年，他的兩個基本前提就是：第一、所有的運動都是相對的；第二、唯有光在整個宇宙間是一個不變的量。

運動都是相對的

爲了發展「一切運動都是相對的」這個原則，愛因斯坦又推翻了另外一個久已爲人們相信的牢不可破的信念。過去認爲長度與質量在任何一種能夠想像得到的情況之下，都是絕對的常數。愛因斯坦卻指出，物體的質量或重量以及其長度，都決定於它究竟運動得有多麼快。他舉例說，假定我們想像有一列火車車廂長度是一千呎，能夠以五分之四的光速進行。對於一個駐足而觀的旁觀者來說，眼看著這列火車隆隆駛去，他所看到這列火車的長度就祇有六百呎了；但是對一個坐在那列車廂上的旅客，那列火車的長度仍然是一千呎。與此道理相似的另一個例子是，如果將一根碼尺投入太空，以每秒鐘十六萬一千哩的速度進行的話，它會收縮到祇有半碼長了。因爲地球的旋轉運動，有一種奇怪的力量能使其周線減少三吋。質量也同樣是可以改變的。當速度增加之時，物體的質量也爲之增加。從試驗中證明，一個物體裡分子的速度，如果能加大到光速的百分之八十六時，其重量較其在靜止時的重量要增加一倍。這一個發現，對於原子能理論的發展具有極重要的啓示作用。

愛因斯坦一九〇五年的理論即「相對性的特殊理論」（Special Theory of Relativity），因爲其結論僅限於直線的一般運動，不涉及其他種類的運動。然而在宇宙間有許多物體的運動，尤其如星辰天體的運動，都不是循直線進行的。一種理論僅能解說直線的運動，而不能將一切運動都概括在內，自然不能算完全的理論。因此，愛因斯坦的次一步驟，便是將他的理論普遍應用，使其能概括宇宙間所有的運動。爲要達成這個目標，他又費了十年的辛苦鑽研。他研究了規範各種星辰、流星、銀河以及圍繞宇宙飛行的各種物體運動的神秘力量。

十年研究的成果

直到一九一五年，愛因斯坦發表了他的《相對論》（*General Theory of Relativity*），對於引力作用提出了嶄新的觀念，使得自牛頓以來一直被普遍接受的引力觀念與對於光的觀念，從基本上爲之一變。引力曾被牛頓認爲是一種「力量」。但是，愛因斯坦卻證明了在行星或是其他天體週圍的太空，是一個重力場，猶如圍繞著磁鐵週圍的磁場。龐大的天體，譬如日球和其他恆星，週圍都有巨大的重力場。地球對月球的引力，便根據這種道理獲得了解釋。這個理論同時也解答了水星反常的運動——水星是距離日球最近的行星，它的移動現象曾使得天文學家迷惑了幾個世紀，在牛頓的萬有引力定律中並不能獲得適當的解答。愛因斯坦曾指出，巨大的重力場具有龐大無匹的力量，甚至於可以使光線爲之曲折。《相對論》發表之後未久，有專家於一九一九年拍攝了一次日全蝕的照片，證明了愛因斯坦理論的正確性——光線經過太陽的重力場時，排成曲線而非直線的。

由於這一前提，愛因斯坦進一步說明，太空是曲線的。在運轉中的行星，由於受了日球的影響，都按照盡可能最短的路線行進，正如同一條流向大海的河川，沿著地形形勢最容易最自然的方向流去。以我們地面上的事物而論，一艘船或一架飛機，越過大洋，都是走的一條曲線而非直線，因爲它要沿著地球圓面的弧形而行進的。兩點之間最短的距離，是曲線而非直線。支配著行星或光線之運動的，也正是與此相同的道理。

如果愛因斯坦的空間曲線論經承認爲正確的話，一個很合理的推論便是：空間是有限的。從星辰上發出的光線，經歷過億萬年之後，最後仍必回到它最初發生的那一點，正如同一個環繞著地球行進的旅行家仍會回到出發的地點一樣。宇宙並不伸展入無限的太空，而是有限的限界——不過，這條界限並沒有清清楚楚地劃定過。

最有名的公式

愛因斯坦在科學上的諸多發明之中，以他原子理論的貢獻，對於現代社會的影響最爲深切廣泛。在他發表一九〇五年的論文之後不久，又曾在《物理學年刊》上發表一篇短文，進一步解說他自己的理論。他說，原子能的使用是可能的——至少在原則上是如此。根據他所發明的一條公式，則可使原子的驚人力量解放出來。那條有名的公式是——

$$E = mc^2$$

即能量等於質量乘光速的平方。

愛因斯坦指出，在半磅重的任何物質之中，如果其所含有的「能」能夠全部利用的話，則將產生出來等於七百萬噸黃色炸藥爆炸的威力。有人說，「如果沒有愛因斯坦的公式，試驗者也許照樣會在偶然之中碰上了鈾的分裂，但他們是否能夠認識到原子能的重要性，以及從這個理論造出原子彈來，便大成問題了。」

就在這有名的公式中，愛因斯坦表明，能與質量是同一個東西，不同者祇是其狀態。質量便是能的集中。愛因斯坦的公式，解答了許多在物理學上長久無法解答的問題。

物理學家巴奈德（Lincoln Barnett）對於這條公式讚頌備至，他的話常常被人引述。據他說——

「這條公式解釋了宇宙間的奧秘，放射性元素如鐳和鈾，一方面能以極大速度放射，而且又能繼續放射幾百萬年。又如太陽以及各恆星，能夠放光發熱歷數十億年。如果太陽的光與熱是按照普通的程序使用的話，則我們的地球應該在若干世紀之前就已成爲一片黑暗死寂的地方了。這條公式也顯示了棲息在原子核心裡面的『能』的威力廣大；他預言，爲了要毀滅一座城市，在炸彈裡面應該有多少公克的鈾。」

給羅斯福的密函

直到一九三九年，愛因斯坦的公式仍然祇是理論。那一年，他已經移居美國，不久之後便歸化了美國成爲美國的公民。他在德國無法容身，等於是被納粹驅逐出境的。當時，他聽到說德國人正多方進口鈾礦，並且加緊研究原子彈製作的消息；於是，愛因斯坦就寫了一封信給羅斯福總統，這封信在當時是極機密的——

「……科學家佛米與齊拉德，最近曾將他們研究所得的手稿寄給我，由於他們最近研究之所得，使我預期在即將到來的未來，鈾元素將可成爲一種新的重要的能的來源……這種新的現象也將使我們製造若干炸彈，在我們的想像之中……祇需要一枚這一型的炸彈，由船舶攜帶進入一座港口，就可以將這座港口，與其週遭的土地徹底毀滅……。」

羅斯福總統在讀過這封信之後，立即採取行動，一個以製造原子彈爲目標的「曼哈頓計畫」開始進行了。大約在五年之後，美國的第一顆原子彈在新墨西哥州的阿爾瑪葛多保留地試爆了；又過了不久，第一顆實用的原子彈投擲在廣島，爲那個城市帶去了毀滅性的災難，也使得日本政府不得不放棄一切抵抗的希望，屈膝求降。

雖然原子彈是愛因斯坦理論經過實用之後所產生最引人注目的產兒，但另外還有一項成就，也同樣使愛因斯坦的大名不朽。就在他一九〇五年發表第一篇重要論文的同時，他完成了「光電定律」（Photoelectric Law），解釋了神秘的光電效應，爲後來的電視和電影上的聲帶鋪好了道路。就由於這一個定律的發現，使得愛因斯坦贏得了一九二二年的諾貝爾物理獎金。

探求宇宙的秘密

愛因斯坦在晚年仍孜孜研究不休，他所要完成的研究被稱爲「統一場理論」，試圖解說大自然的和諧一致。按照他的觀點，物理定律凡能適用微小的原子者，應該也同樣能適用於龐大的天體。「統一場理論」將把一切物理現象都包容在一套理論體系之中。引力、電力、磁力、原子能以及世間一切的力量，都將受此同一理論的規範。到一九五〇年，愛因斯坦積三十年苦心鑽研，才將這一套理論呈獻於世人之前。他表示了他個人的信心——他這一番理論乃是啓開宇宙秘密的鑰匙，從小而無內的原子，到大而無外的太空。不過，由於數學上的困難，「統一場理論」還沒有能夠與既存的物理學理論一一互相驗證。愛因斯坦本人對於這一套理論懷有不可動搖的信心。他認爲統一場理論將來必對於「能的原子性格」提出充分的解釋，並且可以展示出來宇宙間「萬物有序」的秩序。

一九三三年，愛因斯坦應邀在英國的格拉斯哥大學演說，談到他的《相對論》的源起。他說「最後的結果十分簡單，任何一個頭腦清楚的大學生都可以瞭解其內容，不會有甚麼困難。但是在過去多年來，一個人在黑暗之中摸索眞理時所感覺到而又無從表達的情緒，雖有強烈的欲望，但卻一時信念興起，一時驚疑不定，直到最後豁然貫通，一旦了悟，這種心情也惟有一個親身體驗過的人方能體會得出……」。

驚奇感最爲重要

在另一次講學時，愛因斯坦在講詞中顯示了他的性格中有其重視精神的感情的一面——「我們所能體驗到的最美妙最深邃的情緒，乃是對於神秘的驚奇感。這種驚奇感乃是一切眞正科學的播種者。如果一個人對於這種情緒感到陌生，如果他對於神秘的事物皆不感驚奇而祇是懍然兀立，這個人可以說是雖生猶死了。能夠知道有些事情的確是我們無法理解的，承認自然本身便是最高的智慧，最爲光華耀目的美，以我們淺陋的知識來說，僅能理解其最原始的形式——這樣的知識，這樣的情感，便是眞正虔誠的宗教感的中心。」

無數的科學家都曾向愛因斯坦頂禮致敬。下面要引述兩位具有代表性的科學家對於愛因斯坦之成就的讚美，來反映世人對於他的評價與崇敬。

第一位是歐易塞爾（Paul Oehser），他寫道——

「使用『影響』一詞來形容愛因斯坦的著述顯然太弱。他所提出的理論乃是具有革命性的。在他的理論之中，誕生了原子時代；究竟他的理論將引導人類前往何方，我們到現在尚不能完全明瞭。但是，我們的確曉得他是我們這一世紀中最偉大的科學家與哲學家，他在我們的心目中幾乎成了當世的聖哲，他的成就乃是我們對於人類心靈懷有信念的有力證明，他的才智成爲人類永遠樂於探索新知的象徵……。」

另外一位科學家霍夫曼（Banesh Hoffman）在一篇文章中作結論說——

「愛因斯坦科學觀念的重要性，還並不止是在於其本身的成就。同樣有力的乃是這些理論所造成的心理影響。正當科學史上一個極爲重要的時期，愛因斯坦昭示世人：有些觀念雖經多年以前已被普遍接受，但仍不是神聖不可侵犯的。正由於這種心理影響，使得當世的科學家如包爾（Niels Bohr）和布洛格里（Louis Victor Broglie）的想像力獲得充分的解脫與自由，使得他們在量子論的研究方面獲得了驚人的勝利。無論我們看任何一方面，二十世紀的物理學都刻下了愛因斯坦偉大天才不可磨滅的手跡。」

愛因斯坦這位樂天知命的曠世奇才，終身貢獻其才思心血於學問之道，因此而被尊爲「原子時代的教父」，在科學史上以至整個人類的文明史上，都將是一個永遠受人崇敬的人物。

改變歷史的書

1998年1月初版
2020年1月初版第九刷

定價：新臺幣240元

著　　者　Robert B. Downs
譯　　者　彭　　歌
責任編輯　吳興文
編輯主任　陳逸華

出版者　聯經出版事業股份有限公司
地址　新北市汐止區大同路一段369號1樓
編輯部地址　新北市汐止區大同路一段369號1樓
叢書主編電話　(02)86925588轉5307
台北聯經書房　台北市新生南路三段94號
電話　(02)23620308
台中分公司　台中市北區崇德路一段198號
暨門市電話　(04)22312023
郵政劃撥帳戶第0100559-3號
郵撥電話　(02)23620308
印刷者　世和印製企業有限公司
總經銷　聯合發行股份有限公司
發行所　新北市新店區寶橋路235巷6弄6號2F
電話　(02)29178022

總編輯　胡金倫
總經理　陳芝宇
社長　羅國俊
發行人　林載爵

行政院新聞局出版事業登記證局版臺業字第0130號

本書如有缺頁，破損，倒裝請寄回台北聯經書房更換。　ISBN 978-957-08-1763-8 (平裝)
聯經網址 http://www.linkingbooks.com.tw
電子信箱 e-mail:linking@udngroup.com

國家圖書館出版品預行編目資料

改變歷史的書 / Robert B. Downs著 .
彭歌譯 . --初版 . --新北市：
聯經，1998年，332面；14.8×21公分 .
譯自：Books that changed the world
ISBN　978-957-08-1763-8(平裝)
[2020年1月初版第九刷]

1.推薦目錄

012.4　　　　　　　　86016136